In memory of Tom,
greatest fan and forthright critic of my writing,
whose kindly outlook balanced
my satirical humour.

Introduction

Doric poetry is still in fine health, as nobody needs to be told; but a mistake which many would-be writers make is to imagine that because the tongue itself is so vivid, anything written in it must automatically be worth reading. Not so: bad poetry does not become good, nor dull stories interesting, for being recited in the Doric; however expertly the writer may handle it.

And Phyllis Goodall makes no such error. Her mither-tongue fluency in the auld leid is evident; but so are her wit and humour, her originality of thought and imagination, and her ability to convey the emotional overtones of a scene or event as well as its outward nature.

In both poetry and prose, Phyllis Goodall can be nostalgic, abrasive, mocking, affectionate, sarcastic, comforting and sometimes just unabashedly funny. Deep human sympathy emerges in poems like Single parent, or (here leavened with humour) Doric sweet talk; in contrasting mood, Hoosehuntin or On bein stoppit by the bobbies make bracing fun of life's misadventures.

Her poems range widely in space and time, her Doric coping as well with the modern world of computers, council tax and Damart sarks as with teuchats cryin on the knowe or quines comin daffin ben the burnside. The first poem in the book sets the tone here: in Thoughts on a Scottish Baptism, the 21st century poet speaks to the figures in a 19th-century painting; and since our past is their future, brings a sad foreknowledge to bear on their anticipations.

The same intertwining of present and past, but this time in a vein of scathing satire instead of poignant irony, appears in a telling exposé of the ambitious but ill-fated Archaeolink venture through a parody of a well-known ballad. Several other poems in the collection send up, or at any rate allude to, familiar landmarks in the literature of Buchan and beyond: the enriching presence of an extensive array of literary influences, indeed, is a notable feature of her writing.

Echoes of Rabbie Burns appear, with strange new resonances,

in reply to a Toast tae the Lassies; one of my favourite poems in the collection is the updating of Charles Murray's 'Belcanny is foggin', wi' siller laid by…' to Fitehillocks is foggin wi keyboards ti play…; and surely the timeless stories of the Garden of Eden and Helen of Troy have had few more individual re-interpretations than Paradise, nae lost and Nell o' Sparta! Even the concrete poetry made famous in the Sixties by Edwin Morgan and others enjoys a comeback: one poem, though not a Doric one, has the shape of a space capsule.

Some of the poems express regret for the passing of the old Doric-speaking communities; but others engage confidently with the things that go on in the new Doric-speaking communities, where the language, if no longer applied to the life of the ferm-touns, still dinnles forth with undiminished resonance and expressive power.

This is a collection that will assuredly be enjoyed by all readers with a fondness for the mither tongue; and it will provide them with a reassurance, if any should be needed, that the tradition of Doric writing is still flourishing.

– **Derrick McClure**

Contents

Thoughts on a Scottish baptism
painted by John Phillip, 1817–1867 4
Archaeolink/ Berryhill 5
Glorious Strathspey 12
Bonnie Deeside,
retort by Jean Mitchell 13
Ma computer's doon 14
Cabrach days 15
Cabrach winter 17
Clochnaben 19
Comin doon hale watter 20
Do not go searching in the depth of space
(*VILLANELLE*) 21
Doric sweet talk 22
Will ye speak til us noo
response by J.M. to *Doric sweet talk* 25
The price o' fame delayed 26
Father disna like visitors 27
Finzean 29
Forests of forever 30
Angels speak Doric 32
Genetically unmodified 34
Gie me strength, Lord 36
The golf widow 37
Hallowe'en 39
Uncannie places 40
Heavy rainfall in Teuchtershire 41
Hoose-huntin 44
On Boxing Day in the morning 46

Jesus! I thocht aboot you last nicht 48
MacFarlane o the Sprotts 49
Nell o' Sparta 52
Night journey 1/1/2003 54
November winds 56
Sixty-nine 57
On bein stoppet by the bobbies
for a nae richt tail licht 58
Orkneyinga saga 59
Paradise, nae lost
(if Adam hid been a Doric chiel) 63
Persephone the summer exile 65
An extraterrestrial looks at St Valentine's Day 67
The Deveron's fu fae bank ti bank 68
The elf wife 69
The hinmaist wird 70
The new born 73
The quine it stole the scone fae me 74
The sideliners 75
It's weet again
J.M.'s poem that inspired *Ti Moanin Meenie* 76
Ti Moanin Meenie o' Milltimber 77
Single parent 78
An she died at Allawakin 80
Rab the Warlock 86
Hallowe'en revenant 90
Monday's bairn 96
Mary hid a little lamb 97

Little Loon Licht Blue 97
Baa, baa black sheep 97
The little quine Muffet 98
Pussy Pussy Bauldrins 98
Ride a cock horse 98
Hoot awa, Geordie 99
Frederick Berty 100
Felix fae across the street 101
Cat's on the chair 102
Christopher Kevin 102
Fin Charlie raise on Monday 104
Ellen's spellin 105
Heist ye back, Gordon 106
It's aa sortet by the jannie 107
Cairney school's farewell to Isabel Dunn 108

GLOSSARY 110

*Thoughts on a Scottish baptism**

"Who presents this child for baptism?"
Aye, young father wi the solemn face,
Are ye thinking o the weary warl
That lies afore yer lass?

"Do you promise to bring her up....?"
The sun will nae aye be shinin throu the roses.
"In the precepts and principles o the Christian faith?"
An she winna aye be a quaert quinie in a fite goonie.

"I baptise you in the Name of the Father..."
Na, she'll turn ill-tricket
Like the little loon tittin at the tablecloth,
An weel-faured an heid-strong like the quine aside me.

"And of the Son..."
and the Holy Spirit."
An mairriet, an a mither like Granny at the fireside,
Min'in on a bairn that the same wirds waar said ower,

"And you are accepted into the Church Universal..."
That gid oot braw an bonnie ti fecht at Culloden.

"Now and in the World to come."

* Painted by John Phillip, 1817 -1867

Archaeolink / Berryhill

[with apologies to *Sir Patrick Spens, Tamlane,* and S.T. Coleridge]

The Cooncil sits in Gordon Hoose
Drinkin the peat-broon tea
"O, fitna ferlie can wi big
Ti tryst tourists ti Bennachie?

"For the Garioch is a bonnie lan,
As far as the e'e can see,
The acres wide aa ben Donside
At the Fit o' Bennachie.

"Bit there's nae wealth in wir acres
Since we jined the E E C
Tourism now is the crap ti grow
At the Fit o' Bennachie."

Then up an spak a Cooncillor wise,
Sat at the Chairman's knee,
"Oor ancient stanes are the ae best thing
Ti tryst tourists ti Bennachie!"

The Cooncil his written a braid letter
An sealed it wi their han
Ti seek fa can design a place
Ti keep ancient ferlies in.

"Faar will we get a bonnie firm
That will wirk for meat an fee
An big ti his a stately dome
At the Fit o' Bennachie?"

" O, here are we, a bonnie firm
That will wirk for meat an fee
We will big ti you a stately dome
At the Fit o' Bennachie!

"We'll cover't wi the smooth green grass
The greenest grass ye'll ever see
So nane will ken there's a man-made dome
At the Fit o' Bennachie.

"An in it Stannin Stanes will rise
An scenes o ancient legends fa'
Fae state o' th'art technology
Onti ilka concrete wa'.

"An on the hill strange beasts will roam,
Beasts sic like's there eest ti be,
Aa roon aboot yer stately dome
At the Fit o' Bennachie."

"An on the slope a hoose will stan'
Thacket wi the heather fine
Wi the lost airt fowk eest ti hae
In lang syne Neolithic time."

Then up an spake an eldern knicht
Bade in Strathbogie toon,
"Oh, faar will ye get the siller fae
Ti big this stately dome?"

"O, we will get that siller
Faar ye will ne'er get nane,
For we'll get that very siller
Fae Brussels ower the fame."

At Berryhill did Cullinan
A stately pleasure dome decree
Faar coontless costly contracts ran

Throu fundin fathomless to man
At the Fit o' Bennachie

"Faar did ye get five million poun
At the Fit o' Bennachie
Fin Huntly fowk can nae get funds
Ti sort a place ti pee?"

"O, we did get that siller
Faar there is nane for you,
For local piddlin problems
Dinna fash the great EU."

They hidna howkit a week, a week,
A week bit barely three,
Fin the eldern knicht he beat his breast
An grat at Bennachie.

"Ye're spennin aa wir Cooncil's goud
An aa wir Cooncillors' fee
Aa for the sake o' a glaurie hole
It's nae eese ti you or me!"

Lang, lang a ladye looket[1]
Oot ower her kailyard wa
An sair upon the dubbie foons
She saa the rain doonfa.

An deep an deeper grew the peel,
It looket like the sea.
"Abody here will seen be drooned
At the Fit o' Bennachie!"

There wis nae mair funds ti reef the dome
Nor drain the dubbie bree.
There wis be naething bit a glaury soss
At the Fit o' Bennachie.

The Cooncil his gaithered solemnly
Ti think on fit ti dee,
An mony war the weary wirds
At the Fit o' Bennachie.

O I forewarn ye, Cooncillors aa
That sit in the Trustees' chair,
Them that gings ti Berryhill
Comes solvent hame nae mair.

"An fit aboot thon bonnie firm
That wid wirk for meat an fee
An big ti his a stately dome
At the Fit o' Bennachie?

"They promised his the best IT
That ever ye laid hans upon
Bit fin it cam hame ti Berryhill
It wis forever brakkin doon.

"The stannin stanes they widna rise,
The computer programs widna rin,
For aa it we cwid click an clunk
They widna wirk at openin time.

"An on the hill there beasts did roam,
Beasts sic like's there aye will be,
That ate aathing they shouldna aet
At the Fit o' Bennachie.

"An on the slope a hoose did stan
Half-thacket wi the heather fine.
They cudna get mair heather poo'ed
For the rain forever dingin on.

"The girse wis slippin aff the Dome,
The car park wis a glaurie hole,
The North-wast view ti Dunnideer
Wis connached bi a hydro pole."

Syne up an spak a ladye fair[2],
Weel read in ancient lore wis she,
"We'll hae ti gyang an seek the help
O' Jock o' Bennachie.

"Noo Jock aneth Craig Shannoch sleeps
An lang syne tint his been the key,
But if ye speak the ancient wirds
He's bound ti grant ye favours three.

"The nicht it is Mid Simmers E'en,
The morn Mid Simmer's Day,
An gin ye dare yer Dome ti save,
It's time ye war away.

"First ging by the black rock,
An syne ging by the broon.
Bit fin ye come ti the fite quarz stane
It's there ye maan sit doon.

"First speir for the health o' Jock o' Noth,
An syne for the Lady Anne,
An syne ye maan speir for Jock himsel
Wi yer han on the fite quarz stane.

"Fin ye speir for Jock o' Noth
He'll min'on Jock's afa drouth
An drain' aa the bree fae his ain hill Fit
Oot ower ti the Tap o' Noth.

"An fin ye speak o' the Lady Anne
Sae happy his dreams will be
The sun will shine the Simmer lang
For miles roon Bennachie.

"An fin ye speir for Jock himsel,
Sae hert-touch't he will be ,
He'll cast a spell o' richt gweed will
For miles roon Bennachie."

"The nicht it's dingin' on sleet an snaa',
The morn's Mid Simmer's Day.
Gin ye dare yer Dome ti save,
It's time ye war away.

Mid Simmer Day dawned fair an clear,
The yalla wis on the breem,
The scent o' the funs wis in the air
An the Dome wis grassy green.

On Berryhill the carynx boomed
An in the carpark vehicles gleamed
Five thoosan year wis glimmerin there
At the Fit o' Bennachie.

An Romans focht wi paintet Picts,
An Cooncillers cam ti see,
An the sun shone doon on ane an aa
At the Fit o' Bennachie.

Noo, the Garioch is a bonnie lan.
As far as the e'e can see,
There's streams o' cars gyan nose ti tail
Wi tourists ti Bennachie.

They queue up at the grassy dome
For prehistory an cups o' tea
Tourism noo is the crap that grows
At the Fit o' Bennachie.

There ilka day dawns fair an clear,
There's nae mair dubbie bree,
An there's richt gweed will ti ane an aa
At the Fit o' Bennachie.

[1] This is a liberal translation, the lady had not got the Doric
[2] Marian Nagahiro, the lady of ancient knowledge

Glorious Strathspey

There's kings' tombs in Egypt,
There's temples in Greece;
There's climmin in Austria
Or sweemin at Nice.

But there's nae better ploy
On a lang simmer's day
Than to wander the strath
Of the deep flowing Spey.

Rothiemurchus kirkyard
Ben the road fae the Doune
Sleeps mair venturesome lads
Than aal Tutankamun.

The stane circles at Innes
An Lagmore by the A'on
War aal beyond memory
When the Parthenon was young.

Austria has mountains,
An forests forbye!
But Ben Rinnes has aivrons
Turnin ripe in July.

An if ye're a gourmet,
Fit's French cuisine aside
The new tatties an berries
An fish on Speyside?

Some seek Alpine mountains
Or a blue Spanish bay.
But a simmer's day's wasted
That's nae spent in Strathspey.

Bonnie Deeside

Jean Mitchell on reading *Glorious Strathspey*

Your poem I have read with dismay –
Extolling the beauties and such of Strathspey.
Your verses are charming, but I must disagree –
A lovelier spot is the valley of Dee.

Unlike Lochinvar, you rode[1] in from the north,
But your mount[2] did the work, you just sat, and so forth.
Were your eyes so tight shut that you could not see
The grandeur and beauty that nurtures the Dee?

Braemar is a jewel that the Queen cannot own
But she has Balmoral of fine Deeside stone,
Its setting the loveliest mountain by far –
For sheer awesome glory – dark Lochnagar.

There are poems in the landscape, in clifftop and tree
As the river goes winding its way to the sea.
It speaks for itself, there's no more I can say,
There's nothing to match it this side of the Tay.

For beauty and grandeur what more could I seek?
My heart is in Deeside (my tongue in my cheek!).

[1] In 1996 PJG went on the Highland Horseback holiday
partnered by [2]a mare called Bonnie.

Ma computer's doon

Ma computer's doon, an eeseless lump!
It fooner't on's the streen!
An it the thing I lippen't on
Ti get aa ma writin deen.

It gart mi think on the gifts I hae
Gars ma boolie row sae weel
An me as prood an cantie
As though I'd made them ma very sel:

Swippert feet for climmin hills,
Hans that can mak a hame,
A couthie face that bairns taks til,
A brain that can read an rhyme.

The day will come fin they'll aa ging doon
As the computer did yestreen,
Ma hardware, feet, hans, face an brain,
They'll aa grow aal an deen.

An I'll be there afore ma Maker
Wi naething o ma ain
But the guid or ill in this Warl I vrocht
Wi His ootlins an His bairns.

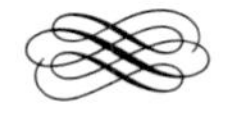

Cabrach days

There's been bonnie days in the Cabrach;
There'll be bonnie days again,
Bit fa will be there tae see them?
Fa will be there tae ken?

The sun that ripened Findourin's corn
Is shinin on rashie braes.
There's naething but rabbits grazin noo
Faar the black nowt ees't tae graze.

There's been stormy nichts in the Cabrach,
There'll be stormy nichts again,
Bit faar will be the lowin fires
Fowk ees't ti gither roon?

The win that dried the Cabrach peats
Is soochin throu raws o fir.
The fires that warmt the Cabrach nichts
Are oot forever mair.

There's been starry nichts in the Cabrach.
There'll be starry nichts again.
Bit faar will be the bonnie quines
That need convoyin hame,

Comin daffin ben the burnside
Fin a forenicht visit's by,
Wi a stolen kiss in the cornyard
Aneth the star bricht sky?

Fa will mak their vows in the Cabrach Kirk
Tae be true an lovin wives,
An rock the Cabrach cradles,
An guide new Cabrach lives?

Fa will tell the stories
O the Cabrach days lang syne?
Fa will keep the memories o't
Fin aa the fouk hiv gane?

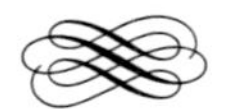

Cabrach winter

Wild blaws the win roon the craigs o Cairnbrallan.
Deep lies the drift in the howe o Auchmair.
It's the menfowk's forenicht o dambrods at the Bracklach.
Aal Jimmie the soutar's the best player there.
The women come in fae the byre at the milkin.
They're fite wi the snaa that's blawin in the close.
Says the wife as she steeks the door ticht tee ahin her,
"There's nae ane the nicht settin fit fae this hoose!"

Aal Jimmie looks up fae his game at the dambrods.
"Deed, wife, bit ma stirkies wid sterve in their sta.
I'll feenish this game that we're at wi yer gweed man,
Syne I'll seddle the Love mare an we'll haud awa."

Wild blaws the win roon the craigs o Cairnbrallan.
Deep lies the drift in the howe o Auchmair.
They bigget mair peats on the fire at the Bracklach,
An prigget wi Jimmie an prigget fu sair.

The men aa gid wi him ti seddle the Love mare,
Near choket wi drift as they gid ower the close.
'This is nae nicht ti be oot in," roars Bracklach,
"Ence we've gotten wir breath we'll haud back ti the hoose."
The Love mare looket roon fin she heard Jimmie's fit
An nicher't real quaert fae the unca horse sta.
She nuzzled at Jimmie as he put on her bridle,
An he says, "Aye ma quine, it's time we waar awa!"

Loud howder't the win roon the reefs o the steadin
Ye couldna see doon ti the burn o Culwyne.
They prigget wi Jimmie ti bide till the mornin.
They waar feart in the blin drift he wid never win hame.
Bit Jimmie said naa, he'd the stirkies ti think on
An the yowes ti see til in the first morning licht.

Love kint the road hame though himsel wis befuddled
He mounted the mare an he bad them guid nicht.

Doon by Bodiebae the win's soochin an sighin.
Heidin up ti the Buck it's as sharp as a knife.
Jimmie's mouser is fite wi the snaa githert up on't
An his hans an his feet his nae feelin o life.
Bit the Love mare steps oot wi her lugs pricket forrit,
She kens faar she's gyan an foo ti get there.
Aathing's fite roon aboot them, nae lanmark ti guide them,
Snaa thick on the grun an snaa thick in the air.

The snaa's swirlin roon an the soutar's mind swirls wi it
He kens neither far he has been or he's gyan
The only thing real in this fite wheelin warl
Is the mare's showdin shooders an warm livin skin.

Wild blaws the win roon the craigs o Cairnbrallan.
Deep lies the drifts by the burn o Culwyne.
Jimmie slackened the rines on the neck o his horsie.
Laid his heid on her mane an said, "Lass tak mi hame."
An the mare that won cups for plooin in springtime
An in simmer gig matches wis aye ti the fore
On that wild winter nicht never daggle't nor dachle't
Till she cam till a stop in the souter's ain door.

Aye, Love took him hame, an he wrote in his diary
Foo she'd saved his life on that nicht in the snaa.
An she wis aye there at the turn o the century,
A sad day it wis fan she wore awa.
Still wild blaws the win roon the craigs o Cairnbrallan.
An deep lies the drifts in the howe o Auchmair.
Bit reefless the waas o the hoose at the Bracklach.
Yon nichts roon the peatfire will come never again.

Clochnaben

The sun slants in the eastern windows
Of the kirk on a Sunday morning.
The minister bemoans the empty pews,
You have a duty to be here, he says.

But is that what God thinks?
Is he not with us there
When we walk the windswept hill
On Sunday a morning,
With the whaup's cry
And the smell of moss
And the comradeship of the last stiff climb?

And does He not take a Maker's pleasure
In our delight in the splendour
Around us and below us
As we sit on Clochnaben,
And gaze across at Bennachie
With all the golden harvest fields between.
The blaeberries below the granite tor
His body broken for us?

And here on the mountains,
In the joy of our fine-tuned bodies
Pitted against the gradient and the wind,
We feel more keenly now the sacrifice
Our thirty-three year old God made for us
Than we will when we are twice that age,
Sitting old and body-weary
In our pews in later days.

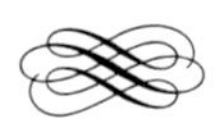

Comin doon hale watter

Comin doon, comin doon,
Comin doon hale watter,
Win comin hurlin fae the east,
Reef slates gyan clatter.

Faur's the bonnie winters
We ees't ti get lang syne?
Dry snaa glitterin in the sun,
Sleddies gyan fine.

If this is Global Warmin,
We'll need some ane ti blame,
The bide-at-hames wi their heatin,
The flee-abroads wi their planes.

Do not go searching in the depth of space (VILLANELLE)

Do not go searching in the depth of space
For creatures with intelligence like ours,
For would they want to meet our ruthless race?

But treat our fellow earthlings here with grace,
The beasts that share Earth's sunshine and its showers;
Do not go searching in the depth of space.

With thoughtless pleasure we wound, trap and chase
The hapless creatures in our primate powers,
And did they want to meet our ruthless race?

Their kindred thoughts we've seldom sought to trace,
We probing scientists in our ivory towers,
So why go searching in the depth of space?

With atom-splitting toy we can efface
The growth of aeons in a few short hours,
So who would want to meet our ruthless race?

Seek for the mind behind the wise-eyed face
Of beast that shares this spinning Earth of ours.
Do not go searching in the depth of space,
For who would want to meet our ruthless race?

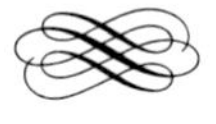

Doric sweet talk

We got awa fae't aa
In a café in Cullen
For a hale Sunday aifterneen.

Ye said if yer boat cam in,
If yer bonds cam up,
Or ye won the Doric Competition,
Ye wid tak's ti Paris,
Or Venice,
Or Zurich wi its g-nomes.

Bit aach, chyaach,
It wis a weet Sunday,
So we sattilt for a high tea
At a fantoosh hotel in Cullen.

On the wye ti Cullen
There wis an ine o season sale
At a gairden centre,
An I winted ti gyang in
For anither purple tree.
Bit ye said ye wisna
For anither o yon damnt things
Powk powkin in yer lug
Aa the wye hame in the Fiesta.

Aa wis rael quaert aifter that.
Ye speered fit wis wrang.
I said I wis sulkin.
Ye said I wisna sulkin,
Aa never sulkit,
Aa jist sometimes took a turn
O righteous indignation

An retreat't intil dignified silence
For a meenitie or twa.

An syne ye said
They gie ye sic affa big helpins
At fantoosh hotels.
Aa hid sic a saugh wan figure,
It wid be a peety
If I turned intil
A caaf bed tied roon the middle
Aa ower the heids o celebrating
Ye winnin the Doric Competeetion.

The café in Cullen
Looket affa warm an welcomin
In the dark grey rain washed toonie.
The attractions o fantoosh hotels waned
That endangered the saugh wan figure.
"We'll gyang in there," I said.

We sat there
At a corner table
Wi scones an jam an a bonnie tay pottie
Amang ither fowk
That hidna gane ti Paris,
Or Venice,
Or Zurich wi its g-nomes.

We got awa fae't aa
For the hale aifterneen
In the Café in Cullen,
An we watched fowk
Oot in the weet parkin area
Plouterin tae the public loos,

An comin oot o the ice cream shoppie
Wi umbrellas abeen their cones an sliders.
They hidna even gotten the length
O the Cullen Café.

I'm nae that ill faar't,
I suppose I cud get a lad
It wid tak mi ti
Rose reid cities
Half is aal is time.
An he micht lat mi buy
A hale grove o purple trees
At mid season prices,
An lat me tak them hame
In the Merc
Or the Silver Ghost
Fim his boat cam in,
Or his bonds cam up.

Bit a yes man like that
Wid niver win
The Doric Competeetion.
An wid he hae
The perspicacity tae see
It I never sulkit,
I jist sometimes took a turnie
O righteous indignation?

Winner of the Connon Caup 1995

Will ye spik til us noo

Jean Mitchell on hearing *Doric Sweet Talk* on Radio 4

Will ye spik til us noo that you're famous
An quoted on Radio Four,
Or will ye become affy bigsy
An look doon yer nose an ignore?

Think fit it'll dae ti the North-East
Fin the fowk that tune in without fail
Tak it inti their heids ti come up by
An follow the 'Weet Sunday Trail'!

Nae purple trees left in the gairdens
An the Café at Cullen'll close,
Sell't oot o' scones, jam 'n' taepots
Ti the fans that aye wint mementoes!

The fantoosh hotel'll get in on the act
An haud 'Phyllis J. Goodall' week-ens.
Ye'll be signin yer poems there in person-
So be sure an fess plenty o' pens.

When your moments of glory are over
An you're down for the next Mensa test[1],
Call in by for some soup and a sandwich;
I'm sure you could do with a rest!

[1] as the Administrator

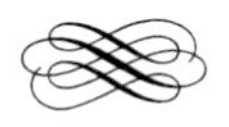

The price o' fame delayed

On being congratulated by Jean Mitchell

Aye, Aa'll spik til ye yet, though Aa'm famous.
Yer bakin's ower gweed til ignore,
An yer poetry's better than some o yon stuff
That they trock wi on Radio Four.

Ye should be oor Tourist Heid Bummer
Wi yer 'Weet Sunday Trail' plans aa made.
Wi its trees an mememtoes an fantoosh hotel
It pits Archaeolink clean in the shade.

Ach, but fame disna come in a life time.
Gie't a millenium or twa
Fin we're pairt o' a galactic empire
Wi Doric the lingua franca;

An descendants o' Ian[1] an Lekky
Will be howkin aboot in the varves
Wi five lugget craiturs fae Betelgeuse Three
An sax legget dowsers fae Mars

Ca'in for sherds o The Taepot
An foons o' the Cullen Café
Tae prove that the Language wis spoken
In the grey mists o' antiquity.

[1] Ian Shepherd , Regional Archaeologist and his wife

Father disna like visitors

The young fowk mean weel
Tae aa gither the gither
And spen Christmas time
Wi their father and mither.

His that man o oor dother's
Tint the bottom till's belly?
Dis that quine o oor loon's
Ever stop watchin telly?

Fa last washed the dishes?
Fa's tint the dish cloot?
They're aye maakin coffee
We'll seen be clean oot!

Fa gid the dog turkey,
An foonert the craiter?
Fa beat Mither at Scrabble,
Put her in an ill naitur?

Fa's connached ma tape
O the golf that I keepit,
Recordin the Queen's Christmas speech
On the tap o't?

Fa turned ower tae Grampian?
An me needin tae watch Sky.
Oor gweed son his aten
The hinmost mince pie.

Fa's mollachin in the sit ooterie,
Tryin ti play the guitar?
Is the loon's quine a vegetarian?
No, a vegan, that's waur!

Fa's been at my choclerts?
Ye're nae feart ye'll get fatter?
Dinna blaad the Glendronach
Wi Huntly tap watter!

Fan wis't, did ye say,
Ye waar aa gyan hame?
Are you sure that your hooses
Are safe sittin teem?

Mither, the quine on the telly
Says mair snaa's on the wye.
They could aa be storm stayed here
Till Hogmanay's by!

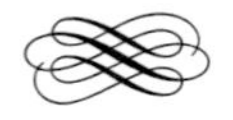

Finzean

We're gingin ti Finzean on Friday
Fitever the weather is like.
Though it rains an it poors wi hellava shoors –
It's nae's though we're gyan on a bike.

We're gingin ti Finzean for coffee.
It's nae's though we're gyan for wir tea.
An we'll see Clochnaben at the heid o the glen,
An Guid kens fit else we micht see.

We're gingin ti Finzean for company
On the wye we'll sort the warld oot;
The neebors' romances, the cooncil's finances,
An the Western Peripheral Route.

We're gingin ti Finzean for culture
For picters an paintins an aa
O Farquharson's sheep wi never a neep
Stannin up ti their oxters in snaa.

We war vringin at Finzean on Friday.
We near nott a boat ti come heem.
An wis Clochnaben at the heid o the Glen?
There wis naething bit mist ti be seen.

Bit we gid ti Finzean for company,
On the wye we took aathing throu han;
The warld getting hetter, politicians nae better,
Oor day up at Finzean wis gran!

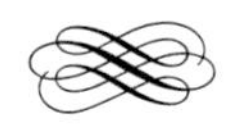

Forests of forever

I remember coming
In a Maytime gloaming
Through Glen Tanar where the great pines grow.
Pale mist was veiling the silver willows,
And the cherry blossom was white as snow.

White as snow
And glimmering, glowing
All along the river side
And all the world
Seemed tranced in deep enchantment,
Dreaming, outside of time.

Outside of time,
Before man walked the world
Bringing destruction with his axe and flame,
Before he crafted words
And claimed dominion,
Created God in his own image
To justify his claim.

Dreaming
Outside of time,
The trees were gleaning
In Earth's dark secret places
Resources for their ancient alchemy.
Weaving
Earth and rain and sunlight
They made the world
Where we can breathe and be.

And white as snow
The cherry blossom,
And the golden pollen

From willow, birch and pine
Carry the mystic coding
From the trees that have been
For the trees that will be
In all future time.

In all future time,
If man with his fumbling fingers
Does not unwarp the mystic web,
Corrupt the code,
In the far millennia
There will still be springtimes
Where great trees
Will weave
Earth and rain and sunlight,
Recreating
The world we share.

Archangels speak Doric

Gabriel's report on invasive alien species in his section of the galaxy

There wis this wee bit planet
Birlin third oot fae its sun,
Fin by cam a space ship
An teemed oot its latrine.

Some broken bits o DNA
Cam throu the atmosphere
An landed in the primal dubs.
That's fit startet the mineer.

First they only spilt in twa,
An baith the bits the same,
'Nae muckle hairm in that,' we thocht,
An loot them cairry on.

But time wore by an sex come in:
There wis new combinations
O the DNA fae yon latrine.
They caa it evolution.

Some beasts grew fins ti sweem wi,
An some fins turned inti feet
An some front feet turned inti hans
An that's fit gars me greet.

Hairmless beasts they'd been till syne,
Jist aitin ane anither,
Bit eence the feet turnt inti hans
They grew fingers that could ficher.

Wir Makar thocht ti droon them aa,
Syne claa'd his ancient pow,
"Och, bit they're bonnie craiters,
We'll need ti save a fyow."

So ane o them caa'd Noah
Got wird ti big a boat,
For fin the muckle spate cam on
Ti keep breedin stock afloat.

It dung hard on without deval
For forty days an nichts.
They war a sad and sorry lot
Afore Ararat cam in sicht

Bit they widna stop their ficherin,
Noo they're ficherin wi the atoms
They'll caa the hale o Planet Three
Clean inti crockanitions.

Genetically unmodified

With apologies to Charles Murray's *There's Aye a Something*

Fitehillocks is foggin wi keyboards ti play
Yahamas 'n Casios, he dirls them aa day.
They aa hae a buttonie that plays the left han
He gies't a bit shove an the chords come oot gran.
He'll gie ye a strum o' the polka or rhumba
Gin ye trip like a fairy or tramp like a jumbo,
An tunes that will suit ye in joy or in grief,
But aye there's a something, the wife is tone-deef.

She threeps spellin intil the heidies o' geets
Five days o' the week for near forty weeks.
Hillocks redds up the hoose fin she's at the skweel ,
Syne dirls at his keyboards an sings til himsel.
There's naebody ti hear him or say ti turn't doon,
An Hillocks sits there, ti' the gills amon soun'.
Bit aye there's a something, the stane in the plum,
Though bairns disna deserve them, the holidays come.

She'll thole a bit waltz for aboot half an 'oor,
Bit boogie or jazz gars her facie turn soor.
An Hillocks, because he's a gweed-hearted breet,
Fits on his bit earphones an tries ti be quaert.
Syne efter three days says, "Ma pettie, ma darlin,
I'll stan ye the fare ti Teneriffe or Tarlan'."
Bit aye there's a something, in spite o' a pleadin'
She be ti bide hame an dee the spring-cleanin'.

Hillocks plays hymns an waltzes til Thursday comes roon,
The amplifier switched aff an the volume turnt doon.
But come Thursday mornin he'll get jazzin aricht.
She's awa in the car as seen as it's licht.
It's nae Teneriffe, nor yet is it Tarlan'.
It's awa ti the toon ti fess hame their wee darlin,

Their dother's young loonie, the last o the line,
Ti bide wi his grunny at holiday time.

He's keen upon keyboards jist like his granda,
An likes naething better than ti dirl awa.
So Fitehillock's instructed ti learn him ti play,
They even get leave ti be at it aa day.
Hillocks needs nae twa tellins ti turn doon the soun
As he tholes the discords an dirls o the loon,
An wishes it he wis in Teneriffe or Tarlan
As he ponders the mixter o genes in the darlin.
Aye, aye there's a something, the wasp at the honey:
The last o'the line is tone-deef like his grunny.

Gie me strength, Lord

Gie me strength, Lord,
Ti succour, Lord,
The anes that I love.

Gie me wisdom, Lord,
Ti ken faar ti help,
An faar ti lat be.

Gie me joy, Lord,
An faith ti succour them
That comes ti me doon-herted.

Gie me courage, Lord,
Ti speak the truth
Fin the truth is
The healin knife.

And gie me, Lord,
The gift of forgie-ing,
So that I am nae aye lookin back
Ti the hurts that ithers gid me.

An in the darkness an sorrows,
O this warld, Lord,
Lat me ken
That You are aye here.

The golf widow

Chrissie wis a gweed wife, thrifty an skilled,
The hoose clean'n tidy, the bakin tins filled.
She wis on ilka committee faar a gweed wife should be,
She wis bonnie'n kindly an a great gairdener tee.

Sandy her man played golf aye at weekends,
An left her at ploys wi Earth Science friends.
There wis an expert on ocean floor spreadin,
An a bearded professor on cleavage an beddin.

They studiet tectonics an basalt an schist,
Rock strata an fossils, an aafa lang list
Wi magnifyin glasses an acid for testin
It's queer fit some bodies will think interestin!

But ae day Chris wis kissed ahin a schist stane
By the bearded professor, an she liket it fine.
Oh, Sandy, oh Sandy, forget that fite baa.
Tak yer wife tae some ootin or she'll be awa.

But Sandy, na, Sandy, his handicap's doon,
He's awa tae Duff Hoose, he's fair ower the moon.
The professor's kissed Chrissie again and some mair,
While Sandy is winnin the shield at Tarlair.

She's nae on committees, she's nae at the kirk.
She maks vague excuses about ower muckle wirk.
But Sandy, na, Sandy, his handicap's eight,
An he speaks aboot naething else early or late.

On the fossils o Moray she's turned aafa keen
An files needs to see them by the licht o the meen.
But Sandy, na, Sandy, wi his handicap seeven,
Is real prood o the puts an the pars he's achievin.

Oh, Sandy, oh Sandy, Chrissie maybe grows weary.
Bide at hame fae the golf an tak time wi your dearie.
But Sandy, na, Sandy, noo his handicap's five,
There's naething in's heid bit the length o' his drive.

But Chrissie's beglamoured, awa in a dream
She is min'in on a beard that wis tickly yestreen.
Oh, Sandy, oh Sandy, there still micht be time.
Pit by yer golf trolley an rescue yer quine!

But Sandy's nae noticed. His handicap's fower.
He gies Chrissie accoonts o his swing and his power,
O bunkers and birdies, an eagles an hooks;
An he's never noticed her farawa' looks,

As she thinks on the beard, and granite intrusions,
Deep seismic waves and volcanic eruptions,
And the Earth's molten centre, and fit dis she care
Aboot Sandy's heroic exploits at Tarlair?

So if golf sets yer hert a'low
And holes in one run in your pow,
Think ye, fit micht be the cost o't.
Min' on Sandy's Chrissie lost for't.

Hallowe'en

Faar are ye gyan this All Hallow e'en
An the nicht sae caal an raa?
I'm taakin the road tae the meetin place
Wi the fowk that hae passed awa.

Fit wye maun ye gyan on All Hallow e'en
Fin the day is gey near deen?
This is the road and this the time
Ti a tryst wi the fowk that's gane.

Fa div ye seek at the trystin place
Amon fowk that's deid an gane?
Amon them aa at that trystin place
I'm seekin only ane.

An fa micht that be, wife of mine?
An fit wye seek ye him?
I seek the quine wi the yalla hair
That you'll never kiss again.

Uncannie places

O, be well warned ladies aa
Wi husbands o' yer ain,
Come nor gyang nae by the Elrick hill
Or the Templars' Wid or the Stane.

Fit wye div ye sit sae quiet, wife,
Fa never eesed to be still?
I hae been kissed by, I canna say,
At the fit of the Elrick Hill.

Fit wye div ye look sae unheedinlike
At me and oor bairns you bore?
I hae been kissed in the Templar Wid
As I never wis kissed afore.

Fit wye div ye glow like a lass, wife,
Grandmither an' yer youth lang gane?
I hae been caressed by hauns unblessed
Afore the Recumbent Stane.

You vowed in the full Kirk, lady,
That till death you wid be mine.
The lover I kissed in the ring o stanes
Is nae bound by mortal time.

Heavy rainfall in Teuchtershire

The water gurgled and splashed into the toilet pan, and finally settled. But it was still urine yellow. I put the plug in the wash-hand basin and turned on the cold tap. Urine yellow. I called on my friend next door. Was her water yellow? She asked me in and we went and peered in her toilet and bidet and wash-hand basin and bath. But the suite named by its maker Pampas or Pompadour, was a pale shade of poo, that rendered the detection of colour in the water impossible. We called on the lady across the street, but her bathroom accessories, a paler shade of poo named Desert Dream, did not reveal the subtle shade of yellow in the H^2O flowing from the reservoirs of Teuchtershire & Tributaries Water Board.

It had been so far a dull weekend, too wet to walk the dog, too wet to go on a shopping spree, best friend marooned in her new bungalow, several friends' phones disabled by flood water. My husband was busy composing water music on one of his seven musical instruments. One could do with a little frisson of excitement, a little argument or two. Shutting both doors on the sounds of embryo water music, I took the phone directory to the phone and found Teuchtershire & Tributaries Water Board. I dialled.

After tens rings there was silence. I waited, considering my next move, but as I was about to hang up, it started ringing again, and after the second ring a cheerful, youthful, female voice announced itself as TEUCHTERSHIRE & TRIBUTARIES WATER BOARD, and lovingly asked my name and my problem. I told it my name and whinged that its water coming out of my taps was the colour of urine.

"AH, YES," said the Voice cheerfully, "YOU SEE, THERE HAS BEEN HEAVY RAINFALL IN TEUCHTERSHIRE OVER THE LAST FORTY DAYS."

I cut the voice short. "I know that. I am experiencing it. I live in Teuchtershire. That is why I am a client of Teuchtershire & Tributaries Water Board. But the rain that's falling is not the colour of urine."

"WE ARE AWARE OF THE DISCOLORATION," said the Voice enthusiastically, as if they had just invented it for the delectation of their clients. "BUT IT HAS BEEN TREATED AND IS SAFE TO DRINK."

"It does not look nice!" I persisted.

"AH, YES," said the Voice cheerfully, "YOU SEE, THERE HAS BEEN HEAVY RAINFALL IN TEUCHTERSHIRE OVER THE LAST FORTY DAYS."

"Forty days and five minutes!" I corrected her. "It's coming out of the sky clear, and T&TWB are taking it and making it piddle coloured."

"WE ARE AWARE OF THE DISCOLORATION," said the Voice enthusiastically, as if it was the most satisfying discovery of the millennium. "But it has been treated and is safe to drink."

" I appreciate that," I got enthusiastic too, enthusiasm is catching, like lice. "Dead clients won't pay water rates. And what would the shareholders say then?"

"AH, YES, YOU SEE, THERE HAS BEEN HEAVY RAINFALL IN TEUCHTERSHIRE OVER THE LAST FORTY DAYS."

"But they would have no-one to sell the stuff to. There would be a lake of piddle coloured water." I paused in thought of this peaceful termination of Homo sapiens , no bomb, no intergalactic war, just Teuchtershire water. We could bottle it and sell it for biological warfare.

The Voice took advantage of my silence.

"WE ARE AWARE OF THE DISCOLORATION. BUT IT HAS BEEN TREATED AND IS SAFE TO DRINK."

Oh well, so much for funding Home Rule for Teuchtershire from the proceeds of biological weapons. "How do you manage to turn leaden coloured rain into gold?" Maybe they had the secret that had evaded the Alchemists. But of course they would not be divulging it.

"AH, YES, YOU SEE, THERE HAS BEEN HEAVY RAINFALL IN TEUCHTERSHIRE OVER THE LAST FORTY DAYS."

"Over the last forty days and ten minutes," I corrected her.

The Voice cheerfully ignored the correction,
"WE ARE AWARE OF THE DISCOLORATION. BUT IT HAS BEEN TREATED AND IS SAFE TO DRINK."

"Is it safe for the dog and the tadpoles and the aspidistra? They have all been looking a bit hingin lugget lately."

"AH, YES, YOU SEE, THERE HAS BEEN HEAVY RAINFALL IN TEUCHTERSHIRE OVER THE LAST FORTY DAYS."

The lassie was a bit limited in her conversation. Oh, well, I thought, I suppose she has to be very politically correct and not make unauthorised statements about the health of dogs, tadpoles or aspidistras… "Furious aspidistra lover says his plant died as a result of following the advice of Teuchtershire & Tributaries Water Board, and is seeking £10 000 in compensation."

The Voice took advantage of my silence again.
"WE ARE AWARE OF THE DISCOLORATION. BUT IT HAS BEEN TREATED AND IS SAFE TO DRINK."

My husband's voice cut across her dulcet tones, "I know most of your cronies are off-line with the flooding, but do you have to stand there and argue with a tape recording?"

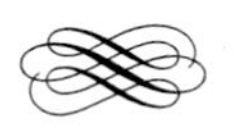

Hoose-huntin

Oh the ile boom is boomin An hooses hard ti get
In Rubislaw Den, an Old What on the Internet.

Bit we thocht we'd gotten wir dream hoose at the Mill o Sharny Bree
Wi its view across the Garioch ti the slopes o Bennachie.

It said three acres an a half, A fine Sheltered Location,
An a Picturesque Watermill jist Ripe for Restoration,

Aside a bonnie Burnie gyan purlin throwe the park –
Ye could mak a waater gairden wi nae ower muckle wark.

There wis a artist's drawin o fit like the hoose wid be
Eence yer builders hid been busy at the Mill o Sharny Bree.

It said immediate entry. The place wis sittin teem.
We widna hae ti wait lang for possession o' wir dream.

So we in ower the Porsche, ower the hill did we flee
Ti mak them an offer for fair Sharny Bree

We caa'd an we lookit for the burn an the mill
An the view ower the Garioch ti the three-tappit hill.

Feint a view across the Garioch, fient a sicht o Bennachie,
Jist a dubby park an pylons could be seen fae Sharny Bree.

Feint a Picturesque Watermill Aa Ripe for Restoration,
Bit a yowie-backit biggin in a state o desolation.

The nowt hid poached the Burnie inti sharny, swampy holes,
Ye wid haen ti big yer dream hoose like a crannog up on poles.

It hid said immediate entry. Bit wis yon aal mill teem?
Fit lang deid mullert micht ye hae gyan girnin throwe yer dreams?

So we in ower the Porsche, ower the hill did we flee
Hame ti caa on the Net an forget Sharny Bree.

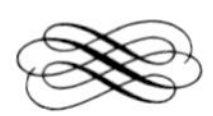

On Boxing Day in the morning

I met a lady by the river side
On Boxing Day in the morning,
On the seat where the summer strollers brood,
Where the old ford was and the river is wide
And the stubble fields on the other side
Stretch up to the dark green wood.

Robust her form and white her hair,
Calm and content she was sitting there,
Engrossed in a white bag at her side.
I bade her good-morning, cheerily, so
That my ever-watchful dog would know
This might be a friend but never a foe
On Boxing Day in the morning.

She returned my greeting with easy grace,
A ready smile on her rosy face,
A lady at home in any place,
On Boxing Day in the morning,
No need to explain her presence there,
No need for my company and no fear
Of the great black dog that was standing near
With ears and nose enquiring.

"There's no food for a doggie in here," she said
As she turned again to the bag at her side,
And her smile let us know she hoped we would go
And leave her alone in the morning.

In her search for solitude had she come
From the nearby nanny-state Eventide Home?
When I am as old as that lady, I pray
I will have the strength to find my way
To self-sufficient solitude

By river side or in dark green wood
On Boxing Day in the morning.

Jesus! I thocht aboot You last nicht

Jesus!
I thocht aboot You last nicht
Fin I couldna sleep,
Sair herted aboot ma freen an her bairnie
That wis bein bullied at the skweel.

You wis a bit o a bully yersel,
Big lad wi Peter an Jock,
Picket on Judas ti be the villain
So that You could be the victim,
'So that scripture might be fulfilled.'

You sent Yer Mither awa greetin
Fae Calvary.
You never grat at a parent's grave,
Nor sat up aa nicht
Wi an ailin bairn.

You wi Yer young hans pierced wi nails
For a filie ae Friday efterneen,
Never twisted wi rheumatism,
Nor Yer thorn-crooned heid
Ravelt wi dottletness.

No, Lord, come back til's,
Be a bairn in a sink estate,
Wi a broken hame
An nae traditional trade ti learn.
Grow aul like us.
Heal wir sair bits wi the touch
O Yer ain arthritic hans.

Yon young man wi his gang in Gethsemane
Is ower far awa for me.

MacFarlane o the Sprotts

I didna like John MacFarlane. It's true, there wis a puckle year I cwidna stan the muckle gawpet breet, an aathing aye faain inti his lap. Like Susie. O, Susie, ilka time I eest ti think on her, love gid roon ma hert like a hairy wirm.

He hid nae grace or weel-set-upness aboot him, young Sprotties. Aye, that's Jock Macfarlane, like. He his lugs like Prince Charlie, a moo it you cwid drive a bus intil, an a roar o a keckle o a lach that wid fleg Aal Nick himsel. He has nae menners. Fin we eest ti ging ti the Young Fermers' dunces thegither, fin he wis seekin a quine up ti dunce, there wis nane o this, "May I have the pleasure of this dance?" in dulcet tones. He jist eest ti ging ower til a quine an roar, "Are ye duncin?"

I ken aa aboot Jock because him an me wis at the Agriculture College thegither. We war freens at that time. Bit o me, fit an ill-faured craiter he wis, yon flappin lugs, yon muckle moo, a nose for knappin hailstanes an bow't legs. An nae muckle brains either, ye kin' o felt sorry for the craiter. He hid naethin gyan for him, bit siller. His mither wis Symon the cattle-dealer's only dother, an him her only bairn. Bit Gweed kens fit the quines saw in him, because quines widna be interested in siller, wid they?

But oniewye, ti get back ti ma story. We eest ti be freens, richt buddies, gid ti plooin matches, and dunces, an sheep clippin competitions thegither, an I tried ti learn him the dambrods, bit chach, he hidna eneuch atween the lugs for that. Bit he wis a gweed freen, took me hame an got me sobered up the nichts I got foo, helpet ti sort Sharnies' fence that I ca'ed doon ae nicht I took the Futret Corner in a hurry in the Jag. We micht o gane on like that aa wir lives, a pair o aal bachelor neebours that wis fine company til ane an ither.

Bit that wis afore I fell in love wi Susie o Sharniehaughs, the neebor doon the howe. Susie hid eence been a fat ferntickled reid-heeded quinie that wisna slow ti gie a loon a hefty wallop wi onie thing that cam ti han. But syne Susie, Susan as she wis ca'ed noo, cam hame fae Robert Gordon University wi a degree in something it hid ti dee wi hoosekeepin an fancy cookin. Since her mither hid run awa wi the plumber that hid putten in Sharnies' central heatin, Susie wis gyan ti keep hoose til her father.

The first time I saw the grown-up Susan, I jist fell heid ower heels in love. It wis up at the mart ae coorse sleety July mornin, an this slim slender vision wi hair the colour o a heather muir on fire wis wylin amon a bag o organic tatties. She looket up an gid's a lang look, syne says, "Aye, aye, it's Wullie o Dockenhill, isn't it?"

Freenly like the lass wis, an we cracket awa, an we kin' o said we wid see ane anither at the next Cabrach Stovies Dunce. So ae nicht I took it inti my heid that I wid haud ower the parks an hae anither news wi her.

Noo her aal ill-naitered father an mine cwid never gree. A cantankerous breet wis aal Sharnies, an grippy. Him an ma faither fell oot aboot wir nowt amon his neeps. It was the postie's wyte. He left the gate on the breem road open, on a Setterday fin abody fae the howe wis awa at Kate Tamson's weddin, an naebody noticed till Monday. My father said it wis naethin ti mak a soon aboot, the nowt war nane the waar o the neeps, bit Sharnies said the neeps war a lot the waar o the nowt an wis never ceevil ahin't.

Bit foo-ever that may be, he set his dog on me. Noo it's nae a collie nor a Labrador that ye could speak some sense intil. It's ane o yon yappy little bug… beasts that redds oot fox holes, an it jist aboot hid the breeks aff o me. I wisna respectable like fin it hid feenished wi me, so I jist hid ti turn an ging hame.

Bit, o, the thocht o Susie. It made love ging roon ma hert like a hairy wirm. So I on ti the phone ti ma freen Macfarlane ti see fit he cwid dee. Wid he ging doon to Sharnies an pit in a wird for me wi Susan?

Well Macfarlane gid doon richt enuch, the flappin lugget, muckle mooed, hooket nosed, bow-legget sklype. He his maybe nae muckle atween the lugs, but fit he his he put ti gweed eese. I suppose ti be fair till him, fin he saa Susie, maybe love gid roon HIS hert like a hairy wirm. Oniewye he said nocht for me, but plenty for himself. He praised the lassie's souflées an meringues, an elderfloor wine. I believe he even turned expert on needlewirk an admired her tapestry, him it cwidna shew up a hole in the doup o his breeks. An aal Sharnies encouraged him. I suppose the twa hunner acres an aa that pedigreed kye that he micht get a twa-three heifers fae wid appeal ti the grippy aal deevil. But ye wid o thocht that Susie, ma bonnie Susie, wid o ha'en mair aboot her than ta'en the like o yon ugly breet jist for his acres, fin she cwid o gotten a fine handsome enterprising chiel like me wi ma overdraft.

So Macfarlane merriet Susie. An I wid raither hae deet for wint o breath than hae pined for wint o love.

But the stoon wears awa come time.

An forbye, Susie has the ill naiter o her aal faither. Fin they'd been merriet aboot seven year, Sprotties took ti bidin an affa lang time wi the accoontant at the mart. They even gid awa ti expensive hotels for denners thegither. A lady accoontant, ti lat ye unnerstan, nae new-fangled relationships for Sprotties. Bit Susie didna ken it wis a lady accoontant.

Bit she kens noo. I wis newsin till her at the Fermers' Market last Friday, discussin organic tatties, fin fa cam by bit wir blond accoontant, so I introduced the ladies. I says ti Mrs Macfarlane o the Sprotts, "This is Miss McGonagle fa manages your ferm books an mine. But yours taks a lot mair managin."

I wis in visitin Macfarlane in the hospital last nicht. His heid wis aa rowed in bandages. His story is that some cast iron cookin utensil fell on him fin he wis tryin ti corner a moose in the back o the press.

Ye ken, lookin at Sprotties in yon bed, the hairy wirm has stoppet gyan roon ma hert fin I think on Susie.

I think I'll start takin on yon couthie quine Marget that wirks in oor solicitor's office an writes bitties o poetry ti the *Leopard*. She wid look fine as the wife up at Dockenhill.

Nell o' Sparta

On a boat?
Na! Na! Aa'm nae gyan inower ony boat!
Aa wis eence on a boat
Wi the bairns -
Na, never again!

Fit's at?
Ye think mi affa bonnie,
The bonniest quine ye ever saw?
Bit div ye love mi?
Or div ye jist wint mi
For a trophy bidie-in?
Aa widna be muckle o a trophy
Gin Aa couket aa the wye ti Troy.

Ye canna live withoot mi?
Weel, Aa widna live lang in-ower that boat o yours,
An syne ye wid hae tae dee withoot's onywye.

Oh, aye.
The extra-terrestrial deem
In the beauty contest said,
If ye gid her the golden aipple
She said she wid mak sure
Et 'e got the bonniest umman
On earth for a wife.
She kin'a owerlooket the fac
That the bonniest umman
Wid likely hae a man already,
Bit maybe faar she cam fae
That didna maitter.

Mind you,
Menelaus is a borin aal git,

Naethin in's heid bit
Discus & javelin & brakkin in chariot horse,
An aa the bairns his taen efter 'im.
Aa wid easy come wi ye
If it wisna for the boat.
Even though Aa did come oot o' a swaan's egg,
Aa dinna like waater.

Oh, so yer Delphic Oracle,
Yon aul spae wife,
Says sangs will be sung aboot's
Till the ine o' time,
Foo bonnie Aa wis,
An the thoosan ships
That ma man sent ti fess mi hame.

(Aye, he's ettlin ti try oot
His new fangled warships
An gie his gay gallants a stramash.)

Weel they'll jist hae ti sing something else.
Ach, chyach, they'll seen get some ither scandal,
In twa-three thoosan 'ear.
Launcelot an Guinevere, Mrs Simpson an Eddie,
Yer Oracle wid be sweelin amon them
If she took a lang look.

An you micht get afa ta'en up wi
Discus & javelin & brakkin in chariot horse
In a year or twa.

Na, na! Aa get affa seasick, An Aa'm nae gyan.

(Connon Caup Winner 1997)

Night journey 1/1/2003

Cars to the right of us,
Lorries to the left of us,
We drove through the night,
Your mother and I
Bringing you home
From your father's house
Four hundred miles away.

''Welcome to Scotland'
Flickered on a billboard
Between moving vehicles.
"How far to Aberdeen now?"
You asked, sleepy
And sad at parting
From surrogate sisters
And twice-a-year father.

The border hills swept by unseen
As we drove through the darkness
Side by side with other sojourners
In a flowing phalanx
As the signposts flashed past
At seventy miles an hour.

You were awake at Glasgow,
A circle of lights to the far horizon,
In the middle distance
A crescent of white- lit towers.
"Is it as big as Aberdeen?" you asked.

At the last motorway filter
A courteous motorist behind me
Slowed to let me move
Late into the north-bound lane.

Names from daytime Scotland
Flashed into the headlights,
The Trossachs, Crianlarich, Achterarder.

Stirling Castle in spotlight and shadow
Sailed by on our starboard bow.

Perth passed below us,
The road and the miles through Dundee
Slowed us down.
"How long now?"
Said a small tired voice.

Time and the miles go by ,
Familiar names
Flash out of the darkness.
Then ahead and below us
The lights of Aberdeen,

"We're nearly there!"
You are awake and glad
To be coming home
To your all-seasons surrogate father.

November winds

I min' fin Aa wis a bairn
In the aal craftie,
November win's blew in
At the crap o the waa.
The chinks in the ill-made biggin
Loot the caal o the ootside
Intil the hert o the hoose.

Noo I'm a wife an a mither
In ma central heated, double-glazed bungalow.
Worries aboot the warld's ills creep in
Throu the limitations o' my human lovin;
The chinks in my faith
Lat in the caal wins o' fear
For the weel-bein o' ma bairns
Fin they're up an awa.

O for the summer warmth
O endless kennin
That the love o' God
Has aathing in its keepin!

Sixty-nine

Don't touch the Hoover!
Don't switch on the iron!
Have a day of rest, Hubbie,
Today you're sixty-nine!

Now don't springclean the attic
Or start to make wine.
Take things a little easy.
Today you're sixty-nine!

Have a round with Charlie
If the weather's fine,
But don't do more than eighteen holes -
Today you're sixty-nine!

Try not to miss me
Though I'm out at dinner-time.
I'll be with you the whole day long
When I am sixty-nine!

Love, The Wife

On bein stoppet by the bobbies

... for a nae richt tail licht

Bit I nivver kint I wis brakkin the la'
As I drove hame throu bonnie Aal Rayne.
I never checket ma tail lichts at yon time o nicht
Amon seagulls an drunks in yon lane.

It's nae that I'm feart at the seagulls or drunks,
But Human Richts an the RSPB,
If I'd sortet them oot wi fyow weel aimed clunks
Fit a scandal, for that's nae PC!

I wis pintin ma flat at yon time o nicht,
For that's fan the street parkin's free.
Twa poun for three oors aa durin daylicht
Is nae for a Teuchter like me.

Bit noo I've a permit ti park aa day free,
So I'll fess ye fae Teuchterland in for yer tea.

Orkneyinga Saga

With apologies to Sir Patrick Spens

The speaker his telt a wondrous tale
O a land o midnight sun,
And the Field Club sighs in the winter gloom
Efter her tale is done.

The chairman sits at the table tap
Drinkin the peat broon tea.
"Oh faar will I get companions bold
Ti sail tae the North wi me?

"The Stannin Staens of Stenness,
It's them that I maan see,
An the Burial Mound at Maeshowe,
It's in it I maan be."

Then up an spak an eldern knicht
In the middle o the ha',
"Ti sail awa ti Northern shores
There's little need at aa.

"There's stirrin tales an stannin staens
Aa up an doon Strath Spey,
An aal kirkyards an ruin't toors
Ti laist ye mony a day.

"There's fish an chips in Fochabers
An mair in Aberlour
An here's a faithfu knicht an bold
Will gyang wi ye on yer tour.

"In Orkney it does rain foo sair,
The win it howls aboot.
Fin win an rain hiv baith dee't doon,
The midges they come oot."

Then up spak the chairman
And an haughty deem wis she.
"I will sut gyang tae Orkeney,
An withoot yer company!"

It fell aboot the Lammas Tide
When B&Bs win their fee,
Twa members an the chairman gweed
Hiv sailed across the sea.

The eldern knicht he beat his breast,
"I warn't them weel," said he,
"There's nane o them his stammacks for
This sailin ower the sea.

"Yestreen they aa weighed fourteen steen,
The nicht they'll weigh but three.
They winna be fit for tatties nor beef
Nor even a cup o tea."

They hidna sailed a mile, a mile,
A mile bit barely ane,
When the Chairman ti the Treas'rer says,
"My breakfast, it is gane!"

They hidna sailed a mile, a mile,
A mile bit barely twa,
When the Chairman ti the Secretar says,
"My denner, it's awa!"

They hidna sailed a mile, a mile,
A mile bit barely three,
When the Chairman ti her Maker says,
I wish that I could dee!"

But fin they cam ti Stromness pier,
Firm grun's a wondrous thing,
They cam breengin down the gangplank
Like stirks looten lowse in spring.

Oh mony wis the Damart sark
They'd packet in their kist,
An sic a freight o midgie cream
The ship wis like ti list.

But ilki day the sun beat doon
Oot o a blue, blue sky,
An never a midge did twitch a wing
An never a clood sailed by.

The Stannin Staens o Stenness
Waar shimmering in the heat,
An the sunless slabs in Maeshowe
Waar warm aneth their feet.

They sailed across a mirror sea
Ti aa the islands roon
An took photographs o simmer floo'ers
That nae wind e'er blew upon.

They ate wild salmon in Orphir,
Bere bannocks in Ronaldsay
An fennel broth and hame made loaf
In a howff near Skara Brae.

They hae written a bonnie postcard,
Pitten on a first class stamp
An sent it ti the eldern knicht
In Banffshire caal and damp.

The first line that the gweed knicht read
Lood and lang looch he.
The next line that the gweed knicht read,
A saat tear blinned his e'e.

"They're neither drenched nor gale tossed,
Nae midge his left its lair,
An the Orkney maet is marvellous.
They will bide forever mair!

O lang, lang will the Field Club look
Across the rollin firth
Afore they see yon dauntless three
Come sailin fae the north.

O lang, lang will the Field Club wait
At their next AGM
Or the floo'er o their Committee
Come sailin back ti them.

"The Isle o Hether Blether
O Orkney peat fire fame
His surely laid a spell on them
An claimed them for its ain!"

Paradise, nae lost

If Adam hid been a Doric chiel

I'm nae aetin that!
It likely his wirms!
Did ye gie't a waash?
Naa!

Fa gid ye't?
Isn't it aff o thon tree
We're nae supposed ti touch?

No, I dinna min' fit wye
We're nae supposed ti touch't,
Bit we're managin fine withoot it.

Gweed be here, quine!
I thocht it wis langsome
Wi nae ither craiter like masel.
For company.

Syne I took thon dwam
An fin I waaken't up,
Wi rael sair ribs,
There you wis,
News, news, speir, speir.
I'm beginnin ti wish
I hid nivver said ti Himsel
That I wis thinkin lang.

Oh aye! The serpent said
Ti tak a tastie, did he?
Fit's wrang wee't
It he disna tak a tastie himsel?

Na, na,
I'm nae aetin

Nane o that
Gulshich!
Nyaa!

Persephone the summer exile

She came back to her Mother's sunlit world,
Returned that Earth might once again grow green.
Demands had been sent from high Olympus for her ,
But no one asked what her choice would have been.

Green are Demeter's meadows,
Sparkling her life filled streams,
Mysterious and magic her woodlands,
But, Persephone, what are your dreams?

Did you go unwillingly
With Dis and his coal black steeds?
Did you eat unknowingly
The six pomegranate seeds

That give him the right to claim you
While six moons wax and wane,
That you may dream through the Summer days
Of his Winter love again?

You wander beneath the catkins
Through the sunlight and dappled shade.
Do you long for the lips of your lover?
Do you wish that you could have stayed?

Do you sigh through the joys of Summer,
On Earth all green and fair
For the wonder of Winter darkness
And wish that you were there?

Do you dream all the April mornings
That ever dawn on Earth
For the taste of his urgent kisses,
His tenderness and his warmth?

Did you come unwillingly
From your lover's dark demesne,
Persephone of the magic feet
For whom the Earth grows green?

Are all the joys of Summer,
And all Earth's green leaved charms
Conceived in the dark of winter
In your lover's caressing arms?

An Extraterrestrial looks at St Valentine's Day

The
days are
Lengthening,
The light is
Strengthening,
The sap is rising,
Energising
Life on Earth
To procreate.

For the sake of variation
In the products of creation
Evolution has proceeded.
Amoebas have been superseded.
Splitting in two gives no occasion
For improvement or mutation,
So finding partners and arranging
To do some DNA exchanging
Is now the way of Procreation
Here on Earth.

There are many ways of achieving this:
There's humping and there's heaving bliss,
Plants have pollen and organs for receiving this,
Salmon do it on gravel beds, and butterflies in flight,
The peacock, to win a partner, puts on a wondrous sight,
The stag grows a head of antlers and puts on a show of might,
And humans on St Valentine's Day get cards and pens and write,
Here on Earth.

The Deveron's fu fae bank ti bank

The Deveron's fu fae bank ti bank
Wi meltet Cabrach snaa
The grass is green on the lang roadsides
An the winter's near awa.

The larks are singin in the lift,
There's catkins on the sauch,
The teuchat's cryin 'Peesie wee-ip'
Oot ower the new ploo'ed haugh.

There's a yoam o reek wafts doon the howe
Fae the muir fires ayont the Ben
O ti tak the road wi a kindred soul
An news o the days that are gane!

We wid name the ruined crafties
An the fowk that bade there lang syne
An debate fit like the warld'll be
In the lang years ahin oor time.

Will larks be singin in the lift?
Teuchats cryin on the knowe?
Will fowk aye speak the aal Scots tongue
In the spring-green Deveron howe?

The elf wife

I will tak back my Elfin form
On the Eve o Lammas day
An bonnie an braw I will ride again
Oot ower the breemie brae

An I will lay by my mortal frame
An my elfin shape I'll wear
Young an supple an fleet o fit
An pain I'll ken nae mair.

Young an supple an fleet o fit
Wi face that's wondrous fair,
Bit I'll hae laid by my mortal heart
An its love I'll ken nae mair.

The hinmaist wird

Reply to the *Toast to the Lasses,* at Huntly Rotary Club, 25 January 2009

Fin yer President first socht me
Ti speak the Hinmaist Wird,
I thocht that I wid need ti ken
The wirds that cam afore't.

Bit Brian here, he wis gey coy
Fin I got him on the phone:
"Jist stories aboot you weeman fowk!"
Wis aa he wid lat on.

I skelpit on, though short o time
Wi fikey wirds that widna rhyme,
Files reading Rab for inspiration,
Or on ti Google in desperation.

Noo I've a freen, winsome an wawlie
Edits the Spottet Beast fu brawlie.
Mony a Hinmaist Wird she's said,
An conter't mony a haverin lad.
So I emailed her in time o need,
An gweed advice ti me she gid:
"If jokes aboot us quines he's tellin,
Be merciless upon the skellum!
Rake aa Rab's wirks for ammunition
Until he's dreepin wi contrition!"

Oh, strappin chiels, it gars me greet
Ti think fu muckle male conceit
Inspires sic jokes an denigration
O us, the croon o aa creation!
An mind, fin yer makin jokes aboot us:
Ye widna gotten here without us.
Ye think nae o the lang bairn-years
Fin we dichet yer doups an dried yer tears.

I'm truly sorry male dominion
Has gien ye sic a peer opinion
O us yer wise heaven-sent companions
Designer-made fae yer ain rib-bane.

There wis Adam, mim-moo-ed craiter ,
Hingin-lugget afore his Maker,
Because amon aa the beasts in Eden
There wis nane wis his companion.
So God in his mercy gid him Eve
His lonely lifestyle ti relieve.

Noo, like her dothers aa through time,
Eve wis an enterprising quine.
She wis keen on change an innovation
An inter-species communication.

A newsy quine, an nae nane racist
She an the serpent grew rael gracious,
An lookin for a change o diet,
The aipple he offered, she wid try it.

Noo Adam that hid been warned aboot it
An could hae managed fine withoot it,
Took a tastie aa the same,
Syne gid the woman aa the blame.

Sleeket, coorin, timorous craiter,
Nyaket there afore his Maker,
Atween the Tigris an Euphrates,
Wi nae a stitch ti hide his bitties.

Through the eras gaen since syne
Men ti bigsiness are inclined.

Dainty an bonnie as we are,
At diggin holes they're better, far.

At shiftin stanes an fellin trees
They wid hae been a lot o eese
In bygone days, fin brawn wis wintet,
Afore machinery wis invented.

You testosterone-driven, hairy craiters
Could maybe dee some jobbies better,
Bit dinna think we need ye noo,
We can flick a switch as weel as you.

Even efter women's liberation
We still nott men for propagation,
Houghmagandie wis the function
That saved the species fae extinction.

Bit noo we ken the wye ti clone
Aa the need for menfowk's gone.
Noo, wi science, you are superfluous
So tak gweed care nae ti nae offend us.

The new born

I came of my own free will;
You have not sought me,
You have not brought me
Into this world.

I am my own creature,
You did not make me,
You did not shape me,
You were my gateway to this world.

I have my destiny;
You cannot shape it,
You cannot take it.
You cannot answer for me in the end.

I'll walk the world my way.
You may walk beside,
But may not guide me.
I have my own stars.

I am a free spirit;
You do not own me
Although you have grown me
Beneath your heart.

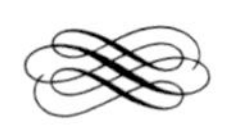

The quine that stole the scone fae me

Raven-haired an broon o' e'e,
The quine that stole the scone fae me.

Cream aa roon her whiskery moo,
Half-guilty look in that broon ee,
Half ma plate aa licket clean,
Fore-feet faar nae fore-feet should be

Hingin lugget, tailie doon,
Doon-casten look in yon broon ee,
'Ye newsed ower lang upon the phone
An never said a wird ti me!'

The sideliners

There's jist twa kin o fowk:
Them that faas tee in dis things
An them that sits on the sidelines
An complains.

The side-liners,
They sit ahin their newspapers
An faa in wi aa the ill bits o news.

Or they sit afore their TVs
An see hellifa things happenin
Aa roon the warld.

His fowk that faas tee, we ken fine
There's ill things happenin a'wye,
Bit we're dee'in fit we can faar we are,
Nae burnin oot wir insides
Aboot the things we canna help.

An fin we're deein fit we can faar we are,
We see rainbows, the hairst meen,
The winter stars, the wild geese ,
Cats purrin, dogs waggin, bairns lachin,
Roch-lookin loons cairryin birns ti aal fowk,
Paintet quines bosyin greetin geets.

Aye, God Himsel still walks the warl.
The Deil hisna sic a haad
As them it sits on the sidelines
Wid hae's believe.

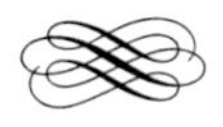

It's Weet Again!

Jean Mitchell's poem that inspired *To Moanin Meenie o Milltimber*

It's weet again.
The peer floo'ers hide their heids
'n greet wi aa thi rain.
The road's a burn, the burn's burst oot in spate,
'n drooket rooks hunch, miserable on gates.

The slugs an weeds enjoy it as a treat,
Bit us – like deuks we'll seen need twa webbed feet.
Oh, for a day ti girn aboot the heat –
There's nae much chance o' that – wi aa this weet.

To moanin Meenie o' Milltimber

Fae a Plowterin Puddock in Huntly

Gweed be here, quine, fit ails ye at rain?
Ye're gey near aa watter yersel.
It's nae's though ye're sugar or saut it wid melt
Or turn mouldy wi dampness, an smell.

An floo'ers are just plants turned romantic.
Dinna mutter 'peer things' at the breets.
Lat them suffer a celibate summer
Takin tent o' their leaves an their reets.

The road's a burn? So bide aff o't!
Bide inside an read a bit thriller.
Or else pit yer beets on an plowter ,
Mak dammies, mak on ye're a miller.

Craws, lat them be drookit an sorry.
Fit gweed did they ever dee hiz?
Tormentit the kittlin an fulpie
An herriet the tatties an piz.

Losh be here, fit ails ye at snails?
The craiters disna bite fowk,
Nae like the ticks o' Glentanar
That grip intil yer oxters 'n howk.

Be gled it's nae the Greenhoose Effect:
Roastin ye aa in Milltimber,
Heat exhaustion in Huntly,
An drucht till next December.

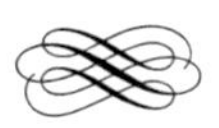

Single parent

"Fower bairns,
Aa' til different fathers!"
We said in the staffroom
Wi the gowd o' grace
On wir weddin fingers.
"An her but in her early twenties!"
We said, that hid spent
Wir teenage years
Amon books an bland professors.

A sma bit quinie
Wi a face for dreams,
She cam ti meet her bairnies
At the skweel.
The youngest craitur hung on till her han
As though she wis God's ain Mither
Stracht fae yon starry nicht in Bethlehem.

Oh, Quine, Quine!
Fit dreams o love did ye hae?
Fit rainbows arched abeen ye?
Fitna flooers grew roon yer feet?
Fa did ye think ye hid in yer airms
Fin yon bairnies' fathers
Wis sayin their saft wirds ti ye?

Fa are we
Wi wir beuks an wir biggins
An wir weddin rings
Ti cast the stane at you?

Fin we cuddle
Wir lawfu wedded men
Div we nae try ti dream them

Back ti the loons we thocht they war
That wid kill dragons
And capture kingdoms for's?
Them it wid hardly teem a moose trap
Or conter the Cooncil Tax fowk
For's noo?

Aye, we hiv wir dreams
Ti ride oot owre reality,
Oor dreams tame trottin shelts
Constrain't by beuks an bank accoonts,
Yours wild prancin steeds
That took ye
Faar we hiv never been.

Bit for aa that
Yon littlin hings on til yer han
As though ye wis yon Mither
O' the starry nicht in Bethlehem
That could sort aa the sair bits
That ever wis
On Earth.

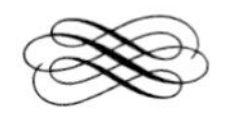

She drank her lan; She sellt her sheen
An she died at Allawakin

There wis ence a castle stood heich an handsome on the lands o Lesmoir, an lang wis the lineage o its lairds. Gordons they waar fa's forebears hid gotten aa the broad daughs o Strathbogie fae a langsyne king o Scots. Bit dark wis the destiny o the lairds o Lesmoir, an if ye seek their castle noo, aa ye will see is a moat roon a midden an a fyow lettered stanes in a fermhoose wa.

Bonnie an broad waar the lands o Lesmoir. Weel did its suit its name, that in the aul tongue meant 'the great gairden' an compared ti the Cabrach on the ither side o the Buck, wi its weather an it grun it wis the very Gairden o Eden itsel.

The Cabrach, faar simmer is a five day fairlie, his been ca'ed the riddlins o creation. Bit for them that his aeten the ripe aivrons on the Buck on a bonnie day in July, or gaithered roon Aldivalloch's peat fire on a wild nicht in Januar, they ken better. The fowk o the Cabrach, they're warm-hearted an far-sichted.

Lang syne, they say, there wis a lass come throu the Cabrach fae the Lesmoir direction an gid awa throu the Glacks o the Bal-loch, an halted aside the burn o Allawakin.

It wis Lammas Eve. The lang fite road doon by Reid-fyoord an Bogheid wis glimmerin in the simmer sun. Jock o the Buck looked up fae scythin his haye ti see foo his new fee't loon wis getting on wi the biggin up the dyke faar the aul yows hid broken oot. Young Adam wis stannin idle, gawpin up at the road. Jock wis gyan ti roar at him ti get on wi his wirk, but syne he took til himsel that Adam wis a willin loon, so he said naething, bit hid a look up at the road himsel. There wis an unca umman bodie comin doon the road.

Sma booket she wis, an her hair wis reid. Jock stoppet the scythin an made ower ti Adam as if ti inspect the dykin. Fin he wis within distance o quaert speakin he speirt if Adam kint fa the unca umman wis. No he didna. That wis a win'ner, for Adam wis a great fiddler an wis socht ti the the soirees an dances in aa the neeber parishes an kint aa the local quines.

"She his reid hair like the tinker fowk. Fit an fine ti hae naething ti dae bit stravaig ben the road on this bonnie day," he said, takin a look at his fingers that wis bruised wi the dyke stanes.

"Better tae hae an eesefu job ti tak a pride in fin the day's deen, an a place ti lay yer heid at nicht, " said Jock it hid lived langer.

Nell o the Kirkton wis bakin breid. Big an sonsie wis Nell. She wis a gran baker an she kint it. She liket the feel o the meal amon her fingers, the roll o the bakin pin on the roons on the bakin byoord, the precision o the knife markin the quarters afore she laid them on the girdle it wis hingin on the swey abeen the reid het peats. Aye, Nell's bakin wis a wirk o art. The table wis in front the kitchen winda, an ilka time she lifted her heid fae her mixin an rollin, she saw her bonnie flooerin Geraniums on the sill and throu them ti the road. She saw Wullie gyan by wi the Love mare ti gie Eben a han hame wi Jane Dawn's peats, her it wis reputed ti be a witch it abody wis obliging till. She saw Mary o Fitehillock gyan by wi a pailie o broth ti Aul Maggie at the Peer Hooses. An syne she saw the unca umman comin doon the road.

Sma booket she wis, an her hair wis reid, an there wis a kin o a grace an a pride aboot her gait. "Gweed be here," thocht Nell, "fit his she ti step sae prood aboot, raikin the countryside at this time o day, the brazen hizzy, wi her lowse reid hair!" An happiness gid roon Nell's hert like a hairy wirm as she thocht o her ain sel, the guidwife o the Kirkton wi aathing aboot her aye snod an weel-gyan, an her fine bakin comin aff o the girdle perfect every time.

Maggie at the Peer Hooses gid oot ti convoy Mary o Fitehillock ti the ine o her yard an pu' a makin o young kale ti her anint the pailie o broth. There wis an unca umman comin roon the Manse corner.

Sma booket she wis, an her hair wis reid. An there wis a wint o shyness aboot her it made the aal wife an the quine shy, an they turned as if they waar busy in the yard an loot on they hidna seen her. Fin she wis oot o hearin aal Maggie said, "Fa ever she is, she's nae come o fowk like his, nor yet is she ane o the tinker kin."

Young Mary said, "She's bonnie! An she's aa dressed in velvet-like stuff. I wish I wis bonnie like her!"

"Fit eese wid the like o that be ti mairry young Dalriach, an milk his kye an bake his breid? Forbye yer bonnie enough."

Mary blusht an leuch.

Sandy o the Ardwell wis biggin his peat stack, the peats in the ootside edge laid tilted, ae raw this wye, the neist raw the ither, ti rin aff the watter. His femily for generations hid taen a pride in their weel bigget peat stacks. It wis het dry wirk on this the hettest day in five year. Sandy wis crackin on at it ti get this load o peats bigget afore the loon an the garron cam back fae the moss wi anither load. He stoppet ti tak a houp fae his butter milk bottle it he hid stood in the mill-lade ti keep caal, fin he sa the unca umman comin ben the road fae the birks.

Sma booket she wis, an her hair wis reid an she hid the gait o a bodie it hid never cairriet a birn nor gaen at anither's biddin. He wis as near the road it wid hae been uncivil nae ti hae spoken ti the stranger. "Gweed day, mistress," he said, an withoot him thinkin aboot it his han wis liftin his bonnet.

Her een hid a farawa look in them, bit o bit she wis bonnie. "Good day," she said in a tongue it hidna been learned in the Cabrach, "It is beautiful." And with a gracious nod she gid on ben the road.

Charlie at Brig-ine wis loadin his grocer's cairt for his roon ti Aldivalloch an the Guach. Doad o the Linnburn wis helpin him for he wis waitin til Jimmie at the smiddy across the brig sortet his quarry hemmer till him. Bags o floo'er they put in ower, boxes o tabacca, saat, mustart, shee polish, spunks, lard, sugar, strippet sweeties, pints for beets, aathing it fowk cwidna mak or grow themsels at the fit o the Cabrach hills. He wis jist awa ti get Dick an Dobbin fae the stable an yoke them in, fin ben the road by the Inverharrach parks cam an unca umman.

Sma booket she wis, an her hair wis reid an she hid the licht fit o the Gordons in her gait, bit she looket tired an come at.

Charlie wis a kindly man and courteous, as weel he micht be. Peer servant quine though his mither hid been fin she fee'd til his father an granny, she wis come, throu a granddother o the Wolf o Badenoch, o the Stewart kings o Scotland. Fin the umman gid a hiter ower a roch bit in the road, Charlie steppet up an took her elba. "Mistress," he said, "it's a het day ti be on the road, an a lang wye ye've come bi the look o't. Step inti the shop an my mither will gie ye a bite an a sup."

"Merchant," she replied, "I need no bite or sup, but a glass of the whisky I will take."

"Nae a glass in this heat, mistress, but a sma nip, ence you hiv eaten."

"Sell me a bottle, then, merchant!"

"No, lady, it is nae the time o day fin I may traffic in strong drink. Bit oatcakes and milk and a sma nip ye may hae as wir guest."

Doad o the Linn Burn thocht it wis a shame ti refuse fusky ti onybody it hid the siller ti buy't. It helpet ti open the gates ti the faerie knowe, an Doad made the best illicit fusky it wis made in aa the tributaries o the Spey.

The unca umman looket lang at Charlie, an saw she couldna change his min'. She loot hersel be guided inti the thacket shoppie, an the aal wife it wis sib ti kings set breid an cheese an milk afore her an gid her a drammie o the fusky she keepit for medicinal purposes.

The heat o the day wis wearin by fin the unca umman took her leave o the aal wife o the shop. Sma booket she wis, an her reid hair glintin in the settin sun. The aal wife watched her haudin up the road by Ardluie, an felt a queer forebodin. Maybe if she hid prigget wi her, she could hae gotten her ti bide the nicht aneth her reef, till she got wird o fa she wis, an gotten her kinfolk ti come for her. Bit maybe no. Fit's afore ye, ye canna win by.

Doad o the Linn Burn, wi his hemmer sortet, chappet awa at the stanes in the quarry at the Glacks o the Balloch. Fowk said the quarry wis haunted, an queer dwams cam ower them it bade for lang aside the fite quartz vein, an they aa cam hame sayin they hid been in the fairie knowe. The aal fowk said it happened maist at certain times o the year, Halla E'en, Candlemas, May Eve, an especially Lammas Eve. Doad looket as if he kint aa aboot the Faerie Knowe fin it wis spoken aboot, bit syne Doad wis the biggest consumer o his ain fusky.

Doad chappit awa in the warm July forenicht, brakkin up the muckle stanes for chuckies to mak the coonty roads. The heather was near oot in bloom an the birdies waar singin. He hid a bottle o his best stuff hidden aneth an aitnach bush aside the fite quartz stripe. Fin he looket up fae his wirk, there wis the unca umman bodie comin throu the Glacks.

Sma booket she wis, an her hair wis reid an she hid the gait o a bodie it hid never cairriet a birn nor gaen at anither's biddin. Her een hid a farawa look in them, bit o bit she wis bonnie.

Doad o the Linn Burn laid doon his hemmer an stood up. "Mistress, he said, "Are ye needin a bottle o the fusky?"

"Whisky?" said the umman, an her een brichtened. "Yes, indeed, I am!"

Doad gid ower an took the bottle oot aneth the aitnach bush. "That's half a croon," he said.

"I do not carry money," said the umman, an she felt at her neck an looket at her wrists as if she expec'et there ti be necklaces and bracelets there. Syne she looket at her feet. She wore green sheen sae finely crafted they waar never made in the Howe o Strathbogie.

"My shoes," she said, "will you take my shoes?"

Doad winnered fit eese sic braw sheen wid be ti him, bit syne he looket at her bonnie face an her farawa een, an he thocht she maun be affa sair needin the fusky. He held oot the bottle an she took aff her sheen an gid them till him, syne took the bottle fae him. She took oot the cork an took a lang, lang houp. Syne she wheeled aboot an set off awa doon the road inti the settin sun.

The eeriness o the Glack wis creepin in aboot. Doad laid by his hemmer an heided ower the hill for the Linn Burn. The umman in the green velvet goon gid barfit and silent doon the side o the Allawakin.

Maybe she got the road intil the faerie hillock. Maybe she bade dancin there in her bare feet for ever, though it wis only ae nicht in this warl.

Next day fin Charlie o Brig-ine wis deein his roon ti Glenfiddich, he saw a sma booket umman wi lang reid hair lyin on the hillock on the far side o the Allawakin. Bein a courteous man he gid ti see if she needet help. Bit she wis beyond help, caul as the fit quartz stanes on the Balloch.

Some say she wis Jean Gordon, the heiress o Lesmoir that sellt her broad and bonnie lands. There wis a sang aboot her, bit it's been tint langsyne, aa but the three lines. Bit ithers that studies history will tell ye that the castle o Lesmoir wis a rickle o stanes an the estate selt bi a male heir centuries afore the lass wi the reid hair wis gotten deid at Allawakin.

Rob the Warlock

Rob the Warlock wis nae lang for this warld. In his grey hoosie on the windswept hillie that looket west across the grassy parks and the alder-grown howe of the Fiddich to the great Ben Rinnes he coor't alane aside his dwindlin peat fire, an fine he kent that the Ill Ane wid be for him afore the day wis deen.

The Ill Ane hid keepit his side o the bargain. Rob hid haen power ower beast an body, an the very water aneth the grun. He hid misused nane o't, except eence. On a May Nicht lang syne, fin the yalla wis on the breem an aa the air wis full o the witchin scent o't, he hid used his airt ti hae his wye wi his mither's servant quine. An used it so that she said nithing aboot their tryst an widna say fa wis the father o her bairn. The quine's fowk, crafters on the ither side o the hill, war nae nane pleased wi their lass. But they brocht up the bairn weel in aa weys except that they never hid her christen't.

Itherwise he used his powers for gweed, cured dowie nowt an sheep, made fashious horse biddable and keepit the water in the wells pure an plentifu an the corn craps heavy.

The dark o the Candlemas day wore on. The shadows deepen't in the aal house. The win wis soochin throu the boortree at the gale. An erie heech pitched soun cam fae Rob's fiddle. Syne the soun began ti turn inti a tune, "Bonnie lassie will ye gyang". Rob the Warlock took the fiddle an brak it ower his knee.

At the crack o the fiddle, the door blew open an the Ill Ane himsel cam in. "Weel, Rab, I've come for ye." The smell o brimstone an the red glow o the Ill Place wis aa aboot him.

Rab looket aboot his fite-washed, peat-reeket kitchen an thocht lang for langer in't, wi his beukes an his wans an his fiddle. Fin his look cam ower the broken fiddle the eerie tune gid soochin roon the room again, "Bonnie lassie will ye gyang".

The Ill Ane held his horny heid ti the side. "Ye could trade wi's."

"Trade wi ye?" said Rab, "Fit hiv I that ye wid trade for?"

The eerie tune gid soochin roon the room, "Bonnie lassie will ye gyang".

"The bairn that wis never kirket."

Rob hid haen power ower beast an body, an the very water aneth the grun. He hid misused nane o't, except eence. Itherwise he used his powers for gweed. He couldna trade the bairn he'd never owned till ti gyang wi the Ill Ane in his stead.

The Ill Ane gid his tail a twitch. "She's nae a bairn noo, she's a weel-set-up wife wi a dotin feel o a guidman an grown-up bairns."

Rab looket aboot his fite-washed, peat-reeket kitchen an thocht lang for for langer in't.

The Ill Ane lifted ae hoof an gid the ither fetlock a claa wi't. "If bi ony mischance she's gweed-hertet an I canna get her, I'll be back for you," he said.

Rab hid heard that the woman wis rael like his aal mither. There wis a fair chance that she wis gweed-hertet, an his visitor wid be back for him, but it wid gie him a filie langer in his fite-washed, peat-reeket kitchen afore he hid ti gyang ti the Ill Place.

*****

Isabel hid been ane o the elders on Communion duty that Candlemas Sunday. She wis washin up the wine glasses wi her freen Janet. The win wis soochin roon the kirk kitchen. "It will be wild up in the howe at hame," she said.

"Aye," said Janet. "Ye ken, we've never been up ti the aal kirkyard an tidied the Christmas wreaths aff o wir fowks' graves."

"I'll come by for ye in the car, an we'll jist ging up an dee't efter dennertime," said Isabel. She wis careful o the family lair, faar her mither wis beeriet aside her ain fowk, for wint o a husband ti be beeried aside.

They sortet their aal fowk's graves an hid a flask tea in the car in the lythe o the aal quarry. They war jist drawin oot o't fin roon the corner at an affa lick cam a flashy car on the very heid o the road. Wi superhuman-like speed Isabel spun her car hard on ti the shooder o the road.

The flashie car gid tearin by an left some o its fancy side trimmins on her door hannle. The lad stoppet in a cloud o rubber reek an scraich o brakes. Oot he cam an says tae her, rael ill-naiter't like, "Ye haul't in there as if ye wis expectin some-ane." He wis an unco queer-lookin lad wi affa queer-like feet, or fancy sheen wi the front in twa bit like a coo's fit.

"An you, ye young devil, cam roon that corner like a bat oot o Hell," said Isabel, ready for an argument.

"Ye're nae far wrang, an that's far you an me's gyan" said the loon wi a cheeky lach. He hid on some affa fancy heid gear, a helmet wi like horns stickin up at the front, some new-farrant kin o radio or mobile phone gadget likely.

She got oot ower the car an picket the fancy trim o his car aff o her door. There wis an orra kin o small o brimstone aboot his vehicle, an his breath. "God kens faar ye got a car o that kin, or yer mainners," she said, handin the fancy trim till him. The loon looket rael aback at her wirds. She hidna noticed she hid nicket her han an a drap o her bleed fell on his han. He seemed ti grow smaa'er fin it touched him an his face wis drawn like.

Isabel felt sorry for the loon, an his fancy car blaadet. "Mercy, ye've surely gotten a shock. Draw yer car inti the quarry there an we'll gie ye a drappie het tea wi sugar in't.

"No. No!" he moaned, loupet in ower his car an wi an unearthly screech wis oot o sicht roon the corner.

"Ye needna look sae sorry for him," said Janet. "It wis aa his ain wight"

"Aye, bit he's somebody's loon, an that queer shape o his feet. An yon breathe o his wid pit freens aff o him. He needs a mither ti tak an interest in him."

*****

Rab the Warlock wis wearin awa. In his grey hoosie on the windswept hillie he coor't alane aside his dwindlin peat fire. The licht o the Candlemas day wore awa. The shadows darkened in the aal house. The win wis soochin throu the boortree at the gale. The door blew open an the Ill Ane himself cam in. The smell o brimstone an the red glow o the Ither Place wis nae sae strong aboot him, an he looket a thochtie come at.

"I couldna touch her," he said. "She felt sorry for me, like a mither, an mithers are the bane o Hell. So, I'm back for yersel, Rab." He leered and took a step nearer the Warlock.

Rab felt a great surge o relief gang throu him. The bairn hidna been ta'en in his place.

Gweed be here, the craiter that hid come inti the warl ower the heids o his ill-deeins cwid defy the Devil.

"She hid come fae Himsel's Supper, an it wis in her bleed…" The Ill Ane gid a shudder an looket rael dowie like. " Come on, I'm needin hame."

Love gid roon Rab's hert like a hairy wirm at the thocht o her, his mither's grand-dother he hid never met. He wished he hid kint her. 'God forgie me," he said.

The Ill Ane gid a roar o agony an vanished.

The door hidna opened but there wis some-ane else in the room. "Weel, Rab, I've come for ye."

The scent o breem an the glow o simmer wis aa aboot them.

Hallowe'en revenant

When my friend Professor Mary Rutherford asked me at our October writing club meeting to keep her antiquarian bookshop for her the following Friday, I was happy to agree. That was during the school mid-term break and the woman who usually kept the shop had a young family. I had no other commitments that day and I knew my husband Bill was eager to have the house to himself for a while to experiment with a piece of music he was composing; also, our grandson Aidan would postpone his turnip lantern making knowing he could have a day at it without grand-maternal interference in the kitchen.

On the Thursday evening when I came home from my Church meeting, Mary had already called and left the keys of the shop, the float and a lengthy note about customers who might come to collect special orders which were to be found in the rooms at the back. This was a fairly usual procedure on the nights before I kept the shop, but Bill seemed to have found something unusual about it, or about Mary's conversation, for there was a slight air of mystification about him as he reported her visit. "George will leave Rex with you as he is going to install some new software at a hospital laboratory, but he will call in for him before lunchtime."

In their remote one-time farmhouse Mary's husband wrote bespoke computer programs for government departments. Rex was a rather gormless bullock-sized Newfoundland who had failed at some stage in his Parkinsons-support-dog training. He and I were good friends, as he was often there when I was shop-keeping, and I liked his laid-back presence in the premises. Balnavoulin was not a town given to robbery with violence, nor were antiquarian bookshops the likely victims of such, but I felt that if an occasion arose, the somnolent hairy mound in the back shop would transform into a formidable deterrent. It was strange that Mary had felt it necessary to mention that he would be there on the morrow.

Over breakfast Aidan, hoping to shock me a little, regaled me with his latest readings about Hallowe'en beliefs, "Did you know, Grandma, Hallowe'en is the one night of the year when all the folk who have died since last Hallowe'en can come back." I retaliated with a threat of such a visit at some far future Hallowe'en if any dire accidents befell my kitchen table oil-cloth at the lantern making. Armed with sachets of cappuccino coffee and a packet of biscuits, and with Bill's thermal long johns on below my trousers (book shops are coolish places) I was at the shop by quarter to nine. Rex was already installed behind the child-gate and there was a note from George saying he would be in to get him before one o'clock.

I like the bookshop. The front is a pleasant, sunny, book-lined area divided by shelves of books, new, second hand and antiquarian. The back is divided into dark mysterious little rooms, virtual cupboards with the windows boarded up on the outside in some previous era, maybe for tax purposes or perhaps against vandalism. On the other side of the interior wall there are often sounds of footsteps as of one ascending a stair, although during my times there I have never heard footsteps in the flat above. In its previous life in the previous century before the advent of the supermarkets made such businesses obsolete, it had been a grocer's shop.

During the forenoon several interesting people came in and we had interesting chats about the books they were buying or looking for. One woman who bought a recently published autobiography by a traveller woman said she was a cousin and friend of the author. She gave a shudder as she passed the case with the antiquarian books. "There is a thing there that will have a power about it this Samhain day once the sun starts to go down," she said. She laid her hand on the edge of the wooden counter and stroked it, saying, "But just think on Him that learnt the skill wi wid in Nazareth, an nocht can hairm ye." A strange woman, I thought, but I liked her for all that, and Rex gave a friendly thump of his tail, the canine seal of approval.

About eleven o'clock Bill dropped in with a splendid apple turnover he had bought from the baker up the street, had a cup of coffee with me, and a cheerful moan about the mess Aidan was making with his turnip lantern. Then he went to have a browse along the antiquarian shelves. "Huh," he mused, "Mr & Mrs John McLeod of Dalriach are hopeful if they think they will get £50 for this." He had a non-descript thick black-bound book in his hands. "Superstitious Beliefs in 19th Century Scotland by Donald John McLeod, 1881." He flipped through the pages. "The old country folk fairly knew how to scare kids." He tucked the slip of paper with the sellers' name and price back inside the front cover. "Wait a minute …Mr & Mrs John McLeod of Dalriach. I saw their names among the deaths in the last University Review, drowned when their car was swept off a causeway in the Western Isles. I wonder if Mary knows they won't be back?"

"Poor folk," I said, "did you know either of them at Varsity?" Bill was several years older than me and had known folk who had graduated before my time.

"Yes, both of them. We were all in the Madrigal Choir. They were a rather snooty pair, did not mix, and they were into some strange pagan cult. Lord, that is fifty years ago, they would be in their seventies now, should have had more sense than try to cross an island causeway in a gale."

I looked at the book with distaste. It was one of those thick little volumes, usually with very small print and too many footnotes. It was in the area of the bookcase the tinker wife had been looking at when she spoke about Samhain. I found my right hand was fondly stroking the wooden counter …. Once Bill had left I put Superstitious Beliefs round the corner out of my sight among the Brontes.

A cheerful little plump man came in wanting the works of an obscure and rather dull Scots writer which I was able to locate immediately, having sold them back to Mary the previous week, and advised him that the establishment did buy back purchases at a percentage of the selling price. He thought this advice was uproariously funny and went away book-laden and chortling. There was a shy, worried looking middle-aged man bought some fairly expensive books on embroidery and the history of furnishing fabrics. I discovered under cover of a few oblique questions that they were for his invalid mother whose carer he was. There was a bright-eyed tweedy woman looking for books about dogs for her grandchildren, with whom I exchanged stories about the crafty, scheming, loving and brave activities of dogs.

And so the morning passed. Every time the door opened I looked up and bade my potential clients a good morning, which they returned, and then I withdrew to Camusfearna with Gavin Maxwell so that they did not feel intruded upon in their browsing. Then at 12.37, the door opened and in came a young couple, more formally dressed than is usual among the youth nowadays. The girl had on a longish skirt, similar to what we called the New Look when I was a teenager, and a woollen cardigan, and the boy had on corduroy trousers and a tunic type jacket. When I bade them good-morning, and they did not reply, I wondered if my bidding them good morning after midday had annoyed them. The clocks had gone back to Greenwich Mean Time the previous Sunday and now, even by the sun, midday was at 12 noon. However I had got to an enthralling part of Ring of Bright Water, so at that point I was not unduly perturbed by their seeming discourtesy. I did become a little puzzled by them as the minutes passed. They seemed to be searching in the antiquarian shelves for some particular book, muttering enquiringly to each other. I looked up from my book and asked them kindly if I could be of any assistance. I got the impression of a negative reply, but I cannot recall what words, if any, they uttered. To cover my slight embarrassment I looked round at Rex. He returned my look from the side of his eyes, the whites showing, his tail tucked tightly round his quarters, not even the end tuft faintly acknowledging our eye contact. I raised my eyebrows at him and tilted my head enquiringly. He looked away in the canine equivalent a disapproving headshake.

Time crept by. I am not a clock watcher, but Mary is insistent on keeping strictly to the opening hours as she has a rota of shopkeepers some of whom have other commitments which require that they have the full lunch hour, and I try not to set a precedent of letting customers linger. At seven minutes to one the couple were still searching with no apparent success. Behind Ring I was steeling myself to announce we closed in five minutes, and I found my hand stroking the wooden desk again, and in my head the words of a hymn about a boy in Nazareth whose 'young hands were skilled at the plane and the lathe'. The door opened again and in breezed George, come for Rex and asking cheerfully how the day had gone. I replied equally cheerfully, saying there had been quite a brisk trade earlier. Rex gave him the same sideways look that he given me. George looked from the dog to me, then followed Rex's gaze to the couple by the antiquarian shelves. "You go home for lunch, Chris, and I'll shut up the shop before I take Rex out. Have you got your set of keys for the afternoon?"

At home for lunch I found Aidan with a handsome Neep Lantern and nothing dire had befallen my table oilcloth.

"You could drop in and see me, all the same, on some far future Hallowe'en, Grandma," he teased me.

"I will if I'm not too busy," I teased him back.

I told Bill about the strange young couple, their neat unfashionable clothes and their stand-offishness. Bill made some comforting remark and went to fetch me a plate of macaroni and cheese, his piece de resistance in the cooking sphere. I picked up the University Review that was lying on the coffee table. It fell open at a page with a photo of a group of musicians in red togas. At the back right were the pair who had been searching the antiquarian shelves, and next to them was a luxuriant-haired youth who bore a strong resemblance to Aidan

Bill looking my shoulder asked rather sadly, “You don’t recognise your husband, then, back row, third from the right?”

I looked at my husband’s thinning grey hair. “The hair style has changed,” I joked feebly. “But who are the pair on your left?”

“That’s John McLeod of Dalriach and the girl who became his wife,” said Bill.

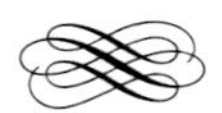

Monday's bairn

Monday's bairn is sonsie and fair
Tuesday's bairns God's blessings bear
Wednesday's bairn wi' grief is thrang
Thursday's bairn gyangs a road that's lang
Friday's bairn wishes aa man weel
Saturday's bairn hyows a weary dreel
Bit the bairn that is born on the Sabbath day
Has aa the gifts a hairt could pray.

A joint composition with Grace Morrison, Buckie,
the Scottish Poetry Library requested the above for inclusion in a
little book of Scottish poems for welcoming and naming babies.

Monday's bairn

(By a Sair-Made Supply Teacher)

Monday's bairn's an affa clype.
Tuesday's bairn's a eeseless gype.
Wednesday's bairn is never richt.
Thursday's bairn's an orra sicht.
Friday's bairn is snatchin an grabbin,
Saturday's bairn's forever blabbin.
But the bairn that is born on the Sabbath day
Is faur ower coorse for wirds ti say.

Mary hid a little lamb

Mary hid a little lamb,
But only for twa simmers.
Fin next year cam the craiter wis
A seventy kilo gimmer.

Little Loon Licht Blue

Written the year o the fit an moo ootbrak

Little Loon Licht Blue!
Quick, mobile yer Dad!
The sheep his sair feet
An the coo his gane mad!
Faar is the loon
That looks efter the sheep?
He's at his computer, half asleep.

Baa, baa black sheep

Baa, baa black sheep,
Hiv ye onie oo?
Aye, man, aye man,
Three bags foo,
Ane ti pay V.A.T.
An ane for Cooncil Tax,
An ane for a trip ti Disney
Hine awa in France.

The little quine Muffet

The little quine Muffet
Sat on her tuffet,
Guzzlin on Mackie's ice-cream,
Fin her brither's tarantula
Laid a big hairy paw on her
An she gid it a thump wi her speen.

Pussie Pussie Bauldrins

Pussie Pussie Bauldrins!
Faar hae ye been?
I've been ti London
Ti visit wi the Queen.
Pussie Pussie Bauldrins,
Fit did ye there?
I fleggit a Corgi
An chased it doon the stair.

Ride a cock horse

Ride a cock horse
Ti Bognie an Corse
Ti see an aal wifie
Upon a grey horse,
Her jodhpurs ower ticht,
Her beets waar o the wear.
Gane she faas aff,
Aa her banes will be sair.

Hoot awa, Geordie

Fin Aberdeenshire hid til economise. Wi apologies ti J.C. Milne

Hoot awa, Geordie,
Ye'll hae ti write sma.
Wir bundle o jotters
Is wearin awa.

Dinna write doon yer wirkin,
Dee the sum in yer heid,
Jist pit doon the answer,
That's aa that ye need.

Lichts left on burnin
Doors wide ti the wa
An het taps left rinnin
Gars a dominie thraa,

Bit Geordie, o Geordie,
It fairly dings aa,
Wir bundle o jotters
Aa wearin awa.

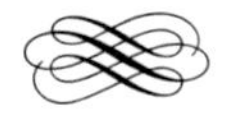

Frederick Berty

Hiv ye ever heard
O Frederick Berty
That widna rise
At seven-thirty?

His Mam wid shout
And his Dad would bellow,
But he hid his head
Aneth the pillow.

"Frederick Berty,
You are a richt bother.
If ye dinna come doon,
We'll sen up Grandmother!"

Grandmother wis aal,
Grandmother wis bossy
She gid aboot wi a dog
Ca'ed Flossie.

She gart ye dee yer hamewirk
An clip yer nails
An wash yer lugs,
An say yer prayers.

Doon the stair
Shot Frederick Berty
An wis half-wye ti the school
By seven-thirty.

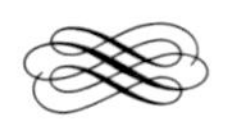

Felix fae across the street

Fit wye div ye fraise wi me
As though ye wis ma freen,
Lookin aye sae innocent
Wi yer roon green e'en?

I ken fa flegs the birdies
Fae ma berry tree,
An' fa scrats oot ma seedies,
So ye needna purr ti me.

Bit aye ma hert saftens
Fin I look in thon green e'en
An' some pairt o ma bein' min's
On times lang syne:

Three-fower thoosan' year ago
This freenship first began
Atween your fowk an' my fowk
Fin the first hairst wis ta'en in.

Fin a rottan chawed the first hole
In the first store o' grain,
Your forebears catched that rottan
An' my forebears ca'ed ye freen.

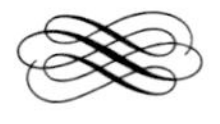

Cat on the chair

It's Setterday mornin
An' we're aa busy here,
Bit the cat's deein naething,
Jist sleepin on the chair.

Mam's washing dishes,
Dad's guddlin at the car,
Bit the cat's deein naething,
Streaked oot on that chair.

I'm tidyin up my bedroom
An' it's jist nae fair,
The aal cat's deein naething,
Belly-up on thon chair.

Pussy cat?

Pussy cat, pussy cat,
Faar wis ye the day?
I wis oot catchin moosies
Amon the bales o' strae.

Pussy cat, pussy cat,
Syne fit did ye dee?
I took them ti my mistress
Jist ti lat her see.

Pussy cat, pussy cat,
Did that please her weel?
No, she loupit on the table
An loot oot an aafa squeal.

Christopher Kevin

Hiv you ever heard
O Christopher Kevin
That widna rise
When the clock struck seven?

His father would shout,
And so would his mother,
But he stuffed his lugs
With the duvet cover.

"Christopher Kevin,
It's time to get up!
If you dinna come doon
We'll sen up the pup."

The pup was big
The pup was enormous
It was near as big
As a hippopotamus.

Its nose was caal
It had tickly whiskers
It jumpet on Kev
With slobbery kisses.

A squashed and tickled
And slobbered Kevin
Was up and dressed
By half-past seven.

Fin Charlie raise on Monday

Fin Charlie raise on Monday there wis a smirr o rain
Hoots, man, said Charlie, It'll blaad the stannin grain..

Fin Charlie raise on Tuesday it wis dingin on pyke staves
Dash that, said Charlie, It will conach aa the sheaves.

Fan Charlie raise on Wednesday it wis dingin on hale watter
An Charlie's bonnie barley park wis aa an aafa sotter.

Fin Charlie raise on Thursday there wis watter till his queets.
Dash that, said Charlie, an put on his wellie beets.

Fin Charlie raise on Friday there wis watter till his knees.
The aal coo hid rheumatics an the cat began ti sneeze.

Fin Charlie raise on Setterday the sky wis grey an dark
An the Charolais bull wis sittin on an island in the park.

Fin Charlie raise on Sunday there wis water til his doup
He's gyan fae fermin inti writin
an next week he'll hae a roup.

Ellen's spellin

Ellen's spellin unca queer,
She his ae wye o spellin 'heer'
An twa-three wyes o spellin 'gear',
An nane o them's the richt wye.

Ryan can be very tryin
When he's spellin wirds like dyin,
Should he keep the 'e' or 'I'in?
An neither ane's the richt wye.

Penny's sair perplexed bi 'people'
Surely it is sib ti 'steeple'?
An its rael close kin til 'beetle'
Twa 'e's maun be the richt wye.

Tam is terrible taxed bi 'tourist',
Twa 'o's in there is surely surest
Because it rhymes wi soorest, doorest,
It's bound ti be the richt wye.

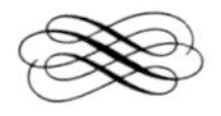

Heist ye back, Gordon

Transferring to Supply Teaching

Heist ye back, Gordon, ye'll be a sair wint.
We'll hae nae man-body ti blame for the things that we've tint.
We winna tine wir compasses, nor mislay the microphone,
Bit we'll hae tint wir expert on the teachins o McCrone.

We will miss ye sair, Gordon, fin you gyang awa,
For wifies at fitba are nae eese at aa.

Faa'll pit plasters on skinn't queets an knees,
Or cope wi disasters like wasps' stings or bees'?
Faa'll 'Parley-vous francais' or dee C-A-L-M
An faa'll mak up quizzes – 'Your starter for ten'?

On a dull Monday, faa'll tell us a joke?
At the start o a playtime, faa'll creep oot for a smoke?

Fin bairnies get vrocht up an rael contermashious,
Faa' can calm doon the craiters afore they get fashious?

Primary Seven, Primary Six, Primary Five, Primary Four,
Ye ken aa aboot them, ye've experience galore.
An wi yer charisma, ye'll ken fit ti dee,
Fin they need ye ti teach thirty bairns in P. Three.

But oh, Primary Two, noo that's faar it gets scary.
They're the fowk that dis deals wi the local tooth fairy.

But fit like's Primary One? We're nae gyan ti tell,
We'll lat ye fin oot that aa for yersel.

Heist ye back, Gordon, ti yer aal Foggie Skweel
Faar-ever ye are, we'll be wishin ye weel.

It's aa sortet by the jannie

The school in Insch is neat an trig,
Ootside an in sae bonnie
Nae orra trock ever lies aboot –
It's aa sortet by the Jannie.

Mishanters dinna fash the bairns ,
Nor mak them greet for Mammy,
For barket knees an blaadet claes
Are aa sortet by the Jannie.

Though teachers brak their spectacles
An bairns tine their denner money,
They'll nae ging blin' nor hungry lang,
They'll be sortet by the Jannie.

If the Heidie's feelin unca caal,
Ta'en her thermals aff ower early,
Faa'll ging an turn the heatin up?
That tactfu' man, the Jannie.

Fin naething's gyan richt for ye
An the world looks dreich an rainy,
Faa's aye a cheery wird for ye?
That kindly man, the Jannie.

But naething in this warld stans still
An Time slips by sae cannie.
We're gaither't here wi memories dear
For a fareweel tae oor Jannie.

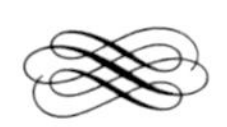

Cairney school's farewell to Isabel Dunn

The fowk that come ti Cairney School
Find aa thing smoothly run.
The credit for a lot o that
Belongs ti Mrs Dunn.

It is twenty year since she cam here,
Fin we waar Grampian region,
An fin they gid computers oot
She taught hersel ti use them.

The computer aye behaves wi her,
She kens fit keys ti powk
Ti open up the files ye wint
Or e-mail ither fowk.

Her office is a sma bit room,
Nae bigger nor a press,
An rowin-fu o files an buiks -
But she's't never in a mess.

She can mak oot the Heidie's writin,
(That taks mair nor human skills),
An inspite o budget cutbacks
She's aye funds ti pay the bills.

She kens fit kin' o forms ti fill
For onything ye wint.
She kens faar ti lay hans on
Onything the Heidie's tint.

She kens fit bus hurls fitna bairn,
'N fit roads are worst in snaa.
Though power's cut aff an pipes freeze up,
She'll calmly cope wi't aa.

She'll save ye fae mishanters on
The School Board committee
Bi speirin should she minute things
Ye say that's nae PC.

Her voice is calm an freenly
Fin she's answerin the phone.
Ye ken she'll sort yer sotters
Fin ye hear her soothin tone.

Ach, Isabel, we'll miss ye,
Bit we ken ye maun awa.
We'll min' on aa yer kindnesses,
An blessins fae us aa.

Glossary

aivrons	*Rubus Chamaemorus*, rasp family northside of Scottish hills up to 4,600 feet (1,400m)
bidie-in	live in lover
blaad	spoil
breengin	charging recklessly
caaf bed	chaff-filled mattress
ca'in	searching
close	farmyard
connached	ruined
convoy	escort
couthy	pleasantly homely
dambrods	draughts
dichted	wiped
dubs	mud
dung on hard	rained heavily
ettlin	longing impatiently
fantoosh	(disparaging) up-market, posh
ficher	fumble, interfere
flegs	frightens
foonert	collapsed exhausted
fraise	be charming to, 'butter up'
howder't	blustered eerily
howkin	digging, excavating
hurls	transports
ill-faar't	not well favoured (weel faar't)
kint	knew
lippened	depended
mineer	trouble, disturbance, fracas

mollachin	pottering, prowling, loitering
mouser	moustache
nowt	cattle
oxter	armpit, area between forelimb and ribs
plauterin	wading, splashin messily
press	cupboard
prigget	pleaded
redds	tidies
rottan	rodent, rat
sauch wan	willow wand
sax-lugget	with six ears (lugs)
soochin	sighing (of the wind)
souter	cobbler, shoe-maker
speered	asked
steek	close securely
swippert	fleet
teemed	emptied
thole	tolerate, suffer
threeps	persistently lectures
tint	lost
unca	unfamiliar, strange
vringan	wringing
vrocht	worked